Les chemins de la volupté

RHONDA NELSON

Les chemins de la volupté

COLLECTION *Audace*

éditions Harlequin

*Cet ouvrage a été publié en langue anglaise
sous le titre :*
THE SEX DIET

Traduction française de
AURE BOUCHARD

HARLEQUIN®

est une marque déposée du Groupe Harlequin
et Audace® est une marque déposée d'Harlequin S.A.

Photo de couverture
© CREATAS / AGENCE IMAGES

*Toute représentation ou reproduction, par quelque procédé que ce soit, constituerait
une contrefaçon sanctionnée par les articles 425 et suivants du Code pénal.*
© 2004, Rhonda Nelson. © 2005, Traduction française : Harlequin S.A.
83-85, boulevard Vincent-Auriol, 75013 PARIS — Tél. : 01 42 16 63 63
Service Lectrices — Tél. : 01 45 82 47 47
ISBN 2-280-17469-3 — ISSN 1639-2949

1.

— Comment ? Mais c'est impossible ! Vous plaisantez, j'espère ?

Derrière son comptoir, la réceptionniste eut un petit sourire gêné.

— Euh… je crains que non, mademoiselle McCafferty. Nous n'avons aucune chambre réservée à votre nom.

Incrédule, Samantha McCafferty se gratta furieusement l'avant-bras tout en s'éclaircissant la gorge. L'effet de son médicament antiallergique était en train de s'estomper. Si elle ne prenait pas une nouvelle dose le plus rapidement possible, elle n'échapperait pas à une poussée d'urticaire géante qui la couvrirait de la tête aux pieds. Ce qui réduirait à néant le sex-appeal qu'elle comptait bien développer avec son fameux régime miracle, le « régime phéromones ». Samantha s'imagina un instant le visage gonflé et recouvert de plaques rougeâtres, en train de s'essayer à un sourire de femme fatale. Rien de moins sexy !

Ramenant ses pensées sur le problème immédiat de sa réservation de chambre, elle secoua la tête en clignant des paupières. Pas question de perdre un temps précieux en conjectures avec cette maudite réceptionniste ! Elle avait besoin d'une nouvelle dose d'antihistaminiques, et elle en avait besoin *de toute urgence*.

— Ecoutez, jeune fille, je me moque de savoir si mon nom est inscrit ou non dans votre ordinateur, reprit Samantha en s'efforçant de garder un ton et un sourire courtois. Je réserve ma chambre d'une année sur l'autre, car je viens en vacances ici tous les ans depuis mon plus jeune âge. Et je couche dans la suite Laurier Rose, première semaine de septembre ! Allons, je vous en prie, donnez-moi la clé de ma chambre et oublions vos soucis informatiques...

« Avant que je ne me transforme en une énorme boule de nerfs couverte d'urticaire. »

La réceptionniste — qui, d'après le badge qu'elle portait à son chemisier, répondait au nom de Tina — lui adressa une moue navrée.

— Impossible, mademoiselle McCafferty, cette chambre est déjà occupée.

— Comment ? s'écria Sam d'une voix aiguë, avant de se pencher au-dessus du comptoir.

C'était tout bonnement impossible, car la quasi-intégralité de son plan « Opération Orgasme » reposait sur sa semaine de vacances à Clearwater ! D'autant plus que depuis qu'elle s'était lancée dans le « régime phéromones » trois jours auparavant — censé exhausser son sex-appeal au point où aucun homme normalement constitué ne pourrait lui résister — elle commençait déjà à en ressentir les résultats. En effet, vu comment son voisin dans l'avion l'avait ouvertement draguée durant le vol, le régime s'avérait on ne peut plus efficace. Voilà pourquoi elle ne pouvait laisser une stupide erreur informatique compromettre son plan.

De plus en plus mal à l'aise, Sam se gratta le haut de la cuisse. Il *devait* y avoir une erreur. Hank n'aurait jamais laissé une telle chose se produire. Et surtout pas cette année, de surcroît... Mais si tel était le cas, Sam se jura qu'il allait le regretter.

— La suite Laurier Rose est occupée, répéta Tina en haussant les épaules. En fait, nous n'avons plus une chambre de libre à cause de l'élection de Miss Plage.

— L'élection de Miss Plage ? répéta Sam.

Hank lui aurait-il mentionné cette nouvelle animation saisonnière la dernière fois qu'elle l'avait eu au téléphone ?

De ses mains manucurées, Tina désigna un prospectus accroché au mur derrière elle.

— Oui, ce sera la principale attraction du week-end. La gagnante se verra offrir un voyage aux Bahamas, un véhicule tout-terrain flambant neuf, ainsi qu'un chèque de dix mille dollars.

Samantha regarda le prospectus tape-à-l'œil de plus près, et poussa un long soupir. Personnellement, elle n'aurait aucun mal à utiliser dix mille dollars. Depuis qu'elle avait terminé ses études, elle s'efforçait de mettre tous les mois un peu d'argent de côté dans l'espoir de s'acheter un jour un appartement, mais ses divers frais au quotidien et surtout le remboursement de son prêt d'étudiante repoussaient l'échéance au fil des mois.

Pourtant, elle bénéficiait de revenus confortables grâce à son métier de diététicienne à Cedar Crest, un des centres de remise en forme les plus huppés d'Aspen et du Colorado. Mais le coût de la vie là-bas ne cessait d'augmenter, et pour des raisons qui n'étaient pas seulement financières, elle nourrissait le désir de retourner vivre à Orange Beach, la petite ville d'Alabama où elle avait grandi.

Elle avait perdu ses parents — victimes d'un chauffard ivre — à l'âge de seize ans, et avait emménagé avec sa grand-mère, la seule parente qu'il lui restait. Mais deux ans plus tard, sa grand-mère était décédée à son tour, la laissant orpheline. Sans la présence et le soutien de Hank Masterson — son ami de toujours et l'amour secret de sa vie — Samantha ne s'en serait jamais remise. Les parents de Hanks qui étaient ses parrain et marraine, avaient tout fait pour l'aider à surmonter cette terrible épreuve et lui assurer une vie confortable.

De quatre ans son aîné, Hank était parti vivre à Tuscaloosa et avait obtenu son diplôme de l'université d'Alabama l'année où Sam passait le bac. Secrètement, elle avait prié pour qu'il revienne à Orange Beach après ses études, mais ce n'avait pas été le cas. Alors, elle s'était dit qu'il était temps pour elle aussi de passer à autre chose, même si cela avait été une déception immense qu'il ne revienne pas auprès d'elle.

Elle n'avait pas regretté sa décision. Elle avait quitté la mer pour la montagne et ce changement de décor s'était avéré être la meilleure thérapie à l'époque. Elle s'était inscrite à l'université du Colorado puis avait trouvé du travail à Aspen et elle ne revenait en pèlerinage à Orange Beach qu'une fois par an, logeant à Clearwater où elle avait passé la majeure partie de son adolescence puisque la maison d'hôtes était tenue par les parents de Hank. A présent, c'était lui qui tenait le somptueux établissement niché sur les rives du golfe de Mexico.

Samantha avait toujours été très attachée à cet endroit, à son air iodé, sa plage et à la sensation des grains de sable s'écoulant entre ses orteils. A cette évocation, elle poussa un long soupir : il lui tardait de revenir vivre ici, mais ce rêve allait devoir attendre. Car en venant travailler ici, elle ne pourrait prétendre à un salaire aussi élevé qu'à Aspen. Et ce n'était pas ce stupide concours de beauté des plages qui l'aiderait à renverser la situation ! Car elle avait au moins autant de chances de gagner cette compétition que d'espérer voir le « régime phéromones » avoir un quelconque effet sur Hank.

Comme la plupart des hommes de la planète, Hank n'avait jamais montré quelque intérêt que ce soit à son égard — excepté peut-être ce moment d'égarement il y a longtemps : mais il était ivre, et elle avait été idiote.

Au souvenir de ce presque-baiser, Sam eut un sourire triste. Elle ressentait encore l'électricité qui lui avait traversé le ventre, les battements affolés de son cœur, et ce désir si intense… Le tout suivi d'une humiliation douloureuse lorsque Hank avait écarquillé les yeux et s'était arrêté net au moment de toucher ses lèvres. Il avait alors proféré un juron et s'était excusé, tandis que Sam s'était composé un sourire de circonstance, prétendant que ce rejet subit ne lui avait fait ni chaud, ni froid. Et pourtant, cela l'avait blessée.

Profondément.

Hank n'en avait bien sûr aucune idée, mais ce baiser avorté avait en fait été bénéfique. Il avait mis Sam devant une réalité contre laquelle elle ne pouvait lutter : peu importait à quel point elle était entichée de lui, Hank ne la désirerait jamais. Elle s'était donc résignée à se contenter de leur amitié, même si elle était absolument certaine de ne jamais pouvoir aimer aucun autre homme que lui. Or, à quoi bon espérer une relation qui ne serait jamais réciproque ? Du coup, Sam avait reporté son attention sur sa carrière, et plus récemment sur l'Opération Orgasme avec l'espoir de développer son sex-appeal.

Car Samantha ne s'était préoccupée de son physique que sur le tard. Mais il y a un an, elle avait pris les choses en main et s'était trouvé une excellente relookeuse. Elle avait appris à décrêper ses mèches blond vénitien, avait troqué ses lunettes contre des lentilles de contact et, grâce à une alimentation hyperprotéinée, elle avait réussi à prendre une bonne dizaine de kilos. Dorénavant, elle pouvait se targuer d'une silhouette tout en courbes, et d'être passée à la taille supérieure côté soutiens-gorge. C'était d'ailleurs là sa plus grande fierté : à présent, il lui suffisait de redresser un peu le buste et *bam !* elle pouvait afficher aux yeux de tous une poitrine généreuse, ainsi qu'une toute nouvelle confiance en elle.

La métamorphose était remarquable. Et, après des années de solitude, elle avait décidé de profiter de son corps et de sa jeunesse ; surtout depuis qu'elle avait découvert, par accident, le « régime phéromones ».

Quelques mois plus tôt, elle avait remarqué que certaines combinaisons alimentaires pouvaient augmenter le sex-appeal d'une personne, en stimulant l'émission de ses phéromones, les hormones de la communication, et revigorer de ce fait des libidos assoupies. Elle avait alors élaboré un menu spécifique afin de tester ce régime auprès de ses patients de Cedar Crest. Et, dans le centre de remise en forme — réputé pour sa bonne société et ses bonnes manières — la tension érotique, quasi palpable, était devenue permanente et les murs des pavillons avaient vibré, une semaine durant, au rythme des ébats effrénés des curistes à la libido ranimée.

Sam était restée interloquée devant de tels résultats, et afin de s'assurer qu'il ne s'agissait pas d'un simple hasard, elle avait servi le même menu un mois plus tard à un nouveau panel de patients. Une fois encore, les effets ne s'étaient pas fait attendre. Elle en avait conclu que si ce régime fonctionnait sur des curistes en âge de prendre du Viagra, il n'y avait aucune raison qu'il ne marche pas sur elle.

Car il y avait bien trop longtemps que Samantha avait mis ses fantasmes de côté, mais depuis quelques mois, son corps lui réclamait plus de faveurs. Et si elle n'avait pas un orgasme sous peu, elle allait finir avec une camisole de force…

Cela devenait une véritable torture de ressentir ce satané pincement au cœur dès qu'elle apercevait un couple d'amoureux se tenant par la main ou s'embrassant comme s'ils étaient seuls au monde. Elle avait presque fini par trouver normale cette cruelle sensation de vide au creux de son ventre. Mais ce sentiment général de frustration se faisait de plus en plus pressant avec le temps. A cette idée, elle poussa un soupir las.

En résumé, elle était en manque d'érotisme et de fantaisie. Elle en avait assez d'être une VO — Vierge de l'Orgasme. Mais d'ici à la fin de son séjour à Clearwater, si son régime se déroulait comme prévu — et il n'y avait aucune raison pour que cela ne soit pas le cas — elle aurait remédié à cette injustice. Même si cela n'était que temporaire. Car elle n'espérait pas rencontrer le Grand Amour en une semaine de vacances, mais simplement ne pas rentrer chez elle sexuellement frustrée une fois de plus. Cette année, il n'était pas question qu'elle quitte Clearwater sans avoir connu au moins un de ces orgasmes à couper le souffle et à grimper aux rideaux dont tout le monde parlait. Pour cela, une seule condition : se trouver un amant compétent.

La seule fois où Sam avait partagé le lit d'un homme, cela s'était avéré une expérience furtive, maladroite et, elle devait bien le reconnaître, déplorable. Un étrange cocktail

13

d'alcool, de solitude, de curiosité, et d'hormones en détresse avait conduit Sam à la décision d'offrir sa virginité à un empoté zélé qui ne s'y connaissait pas plus qu'elle en matière de sexe.

Cette fois, Sam ne commettrait pas la même erreur. Cette fois, elle s'était préparée, et avait prévu de dédier entièrement ses vacances à l'Opération Orgasme, sachant exactement ce qu'elle désirait et comment l'obtenir. Et, entre son « régime phéromones », sa nouvelle silhouette, et une plage regorgeant d'hommes, elle avait peu de chances de ne pas aboutir dans sa quête d'érotisme estival. Il lui suffirait juste de sélectionner un amant expérimenté qui saurait l'initier aux ravissements du plaisir avec un grand P et la satisfaire pleinement.

Elle posa une nouvelle fois les yeux sur le prospectus de Miss Plage et sentit l'irritation l'envahir. Décidément elle n'avait pas de chance : la seule semaine de l'année où elle s'offrait le plaisir de tester le fameux « régime phéro-mones », elle allait se retrouver en concurrence avec une multitude de filles plus pulpeuses, plus bronzées, et plus sexy les unes que les autres, venues concourir pour cette maudite élection !

— Voulez-vous que j'essaie de téléphoner à d'autres établissements de tourisme afin de vous trouver une chambre, mademoiselle McCafferty ? proposa Tina.

Samantha cligna des yeux en émergeant de sa rêverie.

— Non, répondit-elle, exaspérée, je veux simplement la clé de la suite que j'ai réservée.

Le sourire patient de Tina disparut.

— Mais puisque je vous dis que…

— Je me moque de ce que vous me dites, l'interrompit Samantha de plus en plus contrariée.

A ces mots, elle porta une main sur son ventre pour tenter de calmer les démangeaisons qui lui rappelaient que si elle ne prenait pas ses antiallergiques sur-le-champ, elle courrait à la catastrophe. Car le « régime phéromones » avait tout de même un inconvénient de taille : il était essentiellement à base de fruits de mer... auxquels elle était allergique depuis toujours.

Mais après tout, à situation désespérée, remède désespéré...

— Où est Gladys ? demanda-t-elle avec impatience après avoir poussé un profond soupir d'énervement.

Comme toujours, Gladys allait trouver une solution à cet odieux imbroglio, et tout finirait par rentrer dans l'ordre.

— Quelque part sur l'océan Pacifique.

— Pardon ? s'exclama Sam en clignant des yeux.

— Elle s'est mariée la semaine dernière, et se trouve actuellement en voyage de noces en croisière.

Gladys mariée ? Cette bonne vieille Gladys avait fini par se trouver un mari ? A cet instant, elle regretta amèrement de ne pas pouvoir se réjouir de cette déconcertante nouvelle sans avoir l'impression d'être un cas vraiment désespéré... Même Gladys avait fini par se faire passer la bague au doigt !

Raison de plus pour se trouver un amant pour la semaine, se dit-elle avec une vive détermination, et faire tout ce qui est humainement possible pour expérimenter un orgasme.

— Eh bien, c'est une excellente nouvelle pour Gladys, parvint-elle à articuler. Hank est-il là ?

A ces mots, une nouvelle salve de démangeaisons lui traversa le corps. Vu son état, elle aurait préféré pouvoir se rafraîchir avant de voir Hank — ce qui était absurde vu qu'il n'avait de toute façon jamais prêté attention à son apparence physique — mais elle avait trop hâte de voir sa réaction lorsqu'il découvrirait son nouveau style. Oh, bien sûr elle était lucide et ne s'attendait pas à le voir se muer en un admirateur zélé, car elle n'était pas assez naïve pour croire que son régime fonctionnerait sur lui, mais elle se contenterait volontiers d'une expression de surprise sur son visage. Certes cela pouvait paraître bien mince en regard des sentiments qu'elle nourrissait à l'égard de Hank, mais après tous les efforts qu'elle avait entrepris pour améliorer son apparence, elle ne rechignerait pas à quelques compliments de la part de son vieil ami.

En attendant, Tina était devenue blanche comme un cachet d'aspirine.

— H-Hank ?

— Oui, Hank ! répéta Sam en s'étonnant de l'expression d'appréhension qu'elle lisait sur le visage de la réceptionniste.

— Euh… Il… Il n'est pas là pour l'instant… Enfin, c'est-à-dire que… Il est occupé à enlever un crabe de plage qui est tombé dans la piscine, admit Tina en levant les yeux au plafond tout en attrapant un petit talkie-walkie sur son bureau. Je vous l'appelle tout de suite.

Au son de sa voix, on aurait dit que Tina venait de perdre son meilleur ami.

Elle tourna le bouton de l'appareil pour le mettre en marche et parla devant le micro.

— Hank, pourriez-vous venir un instant à la réception, s'il vous plaît ?

Après un bref silence, Sam reconnut sa voix.

— Un problème, Tina ?

Seigneur ! Rien que le timbre chaud et suave de cette voix lui donnait des frissons… Une onde brûlante lui parcourut

16

le corps, dressant la pointe de ses seins au passage, avant de s'engouffrer au plus profond de son entrejambe.

Hank Masterson était l'exemple même du tombeur des plages : grand, bronzé, athlétique, blond et oh, si divinement craquant. Son regard était d'un bleu très clair, et son petit sourire permanent ne manquait pas de séduire toutes les femmes qu'il croisait. Un charme sobre et naturel émanait de lui et, côté sex-appeal, il n'avait nullement besoin d'un « régime phéromones » ! D'autant que, en plus d'être un véritable canon, c'était un homme de caractère, et par ailleurs très doué pour les affaires. En somme, Hank avait *tout* — et même plus ! — de l'homme idéal…

Sauf qu'il resterait toujours hors de sa portée, se dit Sam avec une pointe de mélancolie.

Lorsqu'ils étaient enfants, Hank tolérait sa présence avec ce stoïcisme affecté qu'affichent les garçons face aux petites filles envahissantes. Par miracle, à l'adolescence, ils avaient développé une amitié profonde — qu'ils avaient d'ailleurs entretenue au fil des ans par le biais d'appels téléphoniques, courriels, et autres visites annuelles — et rien n'aurait pu combler Sam plus que de transformer cette amitié en une relation intime. Cependant, Hank ne paraissait pas avoir envisagé une telle possibilité.

Sam se mordit la lèvre en se rappelant que, sans l'épisode du baiser avorté, elle n'aurait même pas été sûre que Hank avait un jour remarqué qu'elle était une fille. En effet, Dieu seul savait à quel point il l'avait toujours traitée comme ses amis garçons. Jamais il n'avait fait de manières en sa compagnie, n'hésitant pas à se déshabiller devant elle pour aller nager tout nu — ne remarquant aucunement le regard concupiscent qu'elle portait sur lui — ou encore partageant avec elle les détails cocasses de ses aventures avec d'autres filles. Aux yeux de Hank, elle n'était qu'un camarade de plus… Tandis que de son côté elle se torturait de jalousie et se consumait d'amour.

Bien entendu, Sam ne s'était jamais risquée à lui dévoiler ses sentiments. Elle se contentait de sourire, d'écouter Hank, de le taquiner, et de jouer tranquillement — ou presque — le rôle de la meilleure amie. Et elle aurait préféré être brûlée vive plutôt que d'admettre que ses sentiments pour Hank dépassaient le cadre de l'amitié, et qu'elle attendait de lui plus qu'une simple tape complice sur le sommet du crâne ou sur l'épaule. Mais Samantha savait que, si jamais il découvrait la véritable nature de ses sentiments, il ne la considérerait plus jamais comme une amie, mais comme objet de pitié — ce qui serait insupportable.

Lorsqu'elle avait décidé de se lancer dans le « régime phéromones », Samantha s'était autorisée, l'espace d'un moment bref mais intense, à rêver qu'il puisse faire effet sur Hank — après tout, le fait d'être ivre avait marché quelques années auparavant — et que d'un simple regard il devienne irrésistiblement attiré par elle…

Très vite, elle avait recouvré la raison : si après toutes ces années Hank s'était montré insensible à ses charmes, il n'y avait franchement aucune raison rationnelle pour que cela change un jour.

« Régime phéromones » ou non, Sam s'était résignée de longue date à se contenter de leur amitié. Elle avait perdu suffisamment de temps à se lamenter sur ce que leur relation aurait pu devenir, et avait décidé d'utiliser son énergie à un objectif plus réaliste : se trouver pour cette semaine un amant qui sache l'initier aux joies du septième ciel.

Dans l'absolu, Hank aurait fait l'affaire sans le moindre doute — rien qu'à cette idée, Sam avait les jambes en coton.

Malheureusement, il y avait une différence entre l'absolu et la réalité.

— Eh bien… oui, Hank, nous avons une petite erreur concernant une réservation, admit Tina avec réticence en crispant ses mains autour du talkie-walkie.

— Encore ! s'exclama la voix à l'autre bout du fil.

Samantha crut y détecter un brin d'agacement.

— Je crains que oui, répondit Tina en fermant les yeux.

— J'arrive tout de suite, soupira-t-il.

Visiblement, Tina n'en était pas à son premier ratage ! Ce qui incita Sam à lui offrir un sourire de compassion, mais la réceptionniste se défila.

— Veuillez m'excuser, je reviens dans un instant.

Samantha acquiesça en se grattant l'avant-bras, certaine que Hank allait remédier à ce quiproquo. Elle n'avait plus beaucoup de temps à présent : il lui fallait au plus vite un cachet d'antihistaminique, ainsi qu'une collation à base de crevettes ou autres fruits de mer, la base de son régime. Et tandis qu'elle perdait son temps à la réception, elle n'était pas sur le terrain, à sélectionner un amant digne de ce nom !

Hank Masterson déposa adroitement le crabe dans le sable à l'écart de la piscine, puis se dirigea vers la maison afin de régler une énième erreur de réservation commise par Tina. Seigneur, comme cette bonne et serviable Gladys lui manquait ! Gladys, qui malgré un caractère grincheux et la cigarette collée en permanence au coin de ses lèvres maîtrisait le système de réservation informatique sur le bout des doigts, et était capable de régler le moindre conflit — réel ou imaginaire — sans avoir à le déranger.

Mais toutes les bonnes choses ont une fin, et Gladys avait confirmé le vieil adage en quittant Clearwater du jour au lendemain pour suivre un homme qui avait beaucoup plus à lui offrir que son patron — à savoir, entre autres, quelques millions de dollars et un yacht. Pour lui succéder, Hank avait engagé la petite-fille de Gladys et il l'avait fait comme un service.

« Vous verrez, elle est faite pour ce travail ! » lui avait assuré Gladys. Hank avait eu la faiblesse de croire que ce genre de compétence était héréditaire… Il avait rapidement déchanté.

Depuis son arrivée, Tina avait « grillé » deux systèmes d'exploitation informatique, perdu la liste des coordonnées des clients de Clearwater, et réussi la prouesse de dérégler tous les appareils électroniques, à l'exception des talkies-walkies. Hank était d'ailleurs persuadé qu'elle ne tarderait pas à les détraquer eux aussi.

Et s'il ne l'avait pas encore licenciée malgré son fâcheux penchant pour les catastrophes, c'était sans doute parce qu'elle présentait bien, notamment au téléphone… mais aussi parce qu'elle était la petite-fille de Gladys.

Hank soupira. Il ne pouvait décemment pas envisager de licencier la petite-fille de celle qui avait été pour lui comme une seconde mère durant ces dernières années.

Et pourtant, se dit-il en serrant les mâchoires, à certains moments — comme à présent — il ne pouvait s'empêcher d'y penser. Car avec la fin de la saison estivale qui approchait et les préparatifs de l'élection de Miss Plage, Hank ne pouvait se permettre de perdre du temps inutilement. Il avait besoin d'une réceptionniste e-ffi-ca-ce. Il n'avait plus une chambre de libre et avait dû faire appel à des intérimaires pour soulager son équipe en cuisine, durement surmenée. Cela dit, une maison d'hôtes dont toutes les chambres étaient occupées signifiait aussi de bonnes finances. Du coup, hormis la fatigue engendrée par le fait de tout gérer de front, notamment les erreurs d'une réceptionniste incompétente, Hank ne pouvait pas se plaindre. Il prit une longue inspiration en arrivant sur les marches du porche d'entrée, et ôta le sable de ses chaussures avant de pénétrer à l'intérieur de la maison.

— Salut, Hank ! miaula Candy, une candidate à l'élection de Miss Plage, installée sur la balancelle du porche.

L'espace d'une fraction de seconde, il se crispa, puis parvint à muer une grimace en un sourire poli, et la salua à son tour. Candy avait un sourire on ne peut plus provocant et scrutait Hank d'un œil lascif. Bien qu'il ait ignoré ses multiples avances, et décliné l'opportunité de voir son tatouage plusieurs fois ces deux derniers jours, Candy continuait sans relâche à lui faire du rentre-dedans. Vu que son Bikini dissimulait à peine la pointe de ses seins et la raie de ses fesses, Hank en avait déduit que le fameux tatouage devait se trouver sur une partie encore plus intime de son anatomie !

De toute façon, il avait pour règle de ne jamais répondre aux sollicitations des clientes à la recherche d'une aventure pour les vacances. Il se devait de rester professionnel. Et puis, il y avait assez de femmes célibataires sur terre pour ne pas prendre ce genre de risque. Certes, il avait déjà été tenté, mais jamais au point de perdre le contrôle et d'oublier ses principes.

Cette semaine avait été particulièrement difficile, en raison notamment des naïades à demi nues qui paradaient sur la plage et s'entraînaient pour l'élection de la Miss. Mais Hank avait l'habitude de contrôler ses ardeurs.

21

Il entra dans le vestibule où l'air climatisé procurait une fraîcheur bien venue. D'ici quelques jours, lorsque ce satané concours de beauté serait passé, il aurait enfin le temps de se chercher une femme convenable, qui ne ferait pas partie de ses clientes, ni des candidates à l'élection de Miss Plage, et avec qui il pourrait passer un peu de bon temps. Il suffisait d'être patient et…

Le cours des pensées de Hank s'interrompit brusquement quand ses yeux se posèrent sur les fesses les plus engageantes qu'il ait jamais vues.

« Doux Jésus ! Encore une de ces petites bombes… » se récria-t-il intérieurement alors qu'une goutte de transpiration perlait au coin de sa lèvre, et qu'une onde de chaleur se répandait au niveau de son aine.

Bon sang, il n'avait même pas besoin de voir son visage : même de dos, cette femme était absolument superbe, et incroyablement sexy. Des boucles d'un blond vénitien tombaient sensuellement sur ses épaules et le long de son dos élancé, et elle arborait une taille de guêpe et des jambes longues et musclées. Contrairement à la plupart des femmes présentes ici, elle n'était pas outrageusement bronzée, et son teint affichait une délicate couleur de pêche. D'ailleurs, un parfum fruité vint lui titiller les narines et affoler ses sens ; un parfum vaguement familier qui ne manqua pas de déclencher en lui une sensation exquise, primaire.

Un désir irrépressible s'empara de lui, s'écoula dans ses veines pour se diriger inlassablement vers son entrejambe. Hank sentit sa peau se hérisser et sa bouche s'assécher. Cette femme était tout simplement la tentation incarnée, il se sentait attiré par elle comme par un aimant. C'était une sensation rare, incontrôlable, trop intense. Son corps était en train de lui dicter des choses déraisonnables, inacceptables.

Le seul remède face à ce genre d'attirance avait un nom : la « mise en quarantaine », se dit Hank, la mort dans l'âme.

Il allait devoir éviter cette femme comme la peste.

C'est alors qu'elle se retourna, et qu'il reçut comme un coup de poing dans l'estomac, en la reconnaissant. Pendant un instant, il eut l'impression que ses poumons s'étaient vidés de tout l'air qu'ils contenaient. Il sentit ses yeux sortir de leurs orbites et sa mâchoire s'affaisser, tandis que le reste de la pièce disparaissait à mesure qu'il faisait le point sur ce visage trop familier...

Samantha McCafferty.

2.

Samantha lui sourit chaleureusement et traversa le vestibule à grandes enjambées avant de le prendre dans ses bras. Bien qu'il soit encore sous le choc de la transformation de son amie d'enfance, il lui donna une tape amicale sur l'épaule.

— Hank, Dieu merci, te voilà ! Ecoute, il semblerait qu'il y ait eu une erreur et que ma chambre soit déjà occupée, dit-elle. Par pitié, dis-moi que tu vas pouvoir arranger ce malentendu !

Il fut saisi par son regard vert pétillant d'enthousiasme.

— Samantha ? Sam ? bredouilla-t-il toujours aussi abasourdi par la métamorphose de sa meilleure amie.

Peu à peu, les contours de la pièce réapparurent, mais Hank gardait l'impression d'avoir reçu un coup de massue sur le crâne.

— Moi-même, en personne ! confirma-t-elle avec un léger haussement d'épaules avant de faire une pirouette gracieuse pour lui faire admirer sa nouvelle silhouette. Tu as vu, j'ai enfin pris quelques kilos !

De nouveau, Hank sentit l'air lui manquer. Sam ne s'était

pas contentée de prendre « quelques kilos », mais s'était sculpté une silhouette de déesse.

Il cligna des yeux, avala péniblement sa salive, cligna une nouvelle fois des yeux... Une paire de seins généreux tendait de façon plus que prometteuse le tissu de son débardeur. Mais ce n'était pas là le seul changement : elle avait abandonné ses lunettes et ses yeux vert clair étincelaient à présent d'espièglerie, ainsi que d'une lueur impénétrable. Une lueur... coquine ?

Une sonnette d'alarme se déclencha au fin fond de sa conscience, mais Hank était trop sidéré pour y prêter attention. Il continua son examen, la gorge sèche.

Les cheveux de Sam n'avaient plus l'air d'avoir subi une décharge de trois mille volts. A présent, ses mèches étaient finement bouclées et tombaient en cascade sur ses épaules. Elle était devenue belle.

Même si, à ses yeux, Sam avait toujours été belle. Pour lui, la véritable beauté, venait de l'intérieur et formait un tout avec l'apparence physique.

Il la détailla une nouvelle fois. Prétendre qu'il demeurait insensible à une telle métamorphose aurait été un pur mensonge. Comme la plupart des hommes, il était très réceptif aux stimuli visuels. De toute façon, il n'avait guère besoin de raisons supplémentaires pour être attiré par Sam, lui qui rêvait d'une relation avec elle depuis des années ! Depuis l'été où elle avait eu dix-huit ans, en fait.

Hank se gratta le front, cherchant à recouvrer ses esprits.

— Hum..., toussota-t-il, encore dans un état second. Arranger quel malentendu ?

En prononçant ces mots, il eut un flash... La suite Laurier Rose ! Première semaine de septembre. Seigneur, comment avait-il pu oublier une chose pareille ? Ils s'étaient téléphoné à peine deux semaines plus tôt, et il attendait son arrivée avec impatience — les visites de Sam étaient toujours un moment privilégié. Mais avec ce satané concours de Miss Plage, il n'avait pas eu une seconde à lui pour...

— Ma chambre, répéta Sam. D'après Tina, je n'en ai pas. Ce qui est impossible, n'est-ce pas, puisque je réserve toujours d'une année sur l'autre ?

Hank eut la désagréable intuition que cela n'avait malheureusement rien d'impossible. Son estomac se noua.

— Euh... Laisse-moi jeter un œil au registre.

Il passa derrière le comptoir de la réception, chercha le nom de Samantha dans l'ordinateur, et eut la confirmation de ce qu'il redoutait : il n'était pas enregistré.

Il fit une petite grimace, se passa la main derrière la nuque et lui adressa un sourire navré.

— Je suis désolé, mais ton nom n'apparaît nulle part, expliqua-t-il en désignant l'écran. Nous avons eu quelques problèmes informatiques dernièrement.

— Mais, Hank, s'écria Sam d'une voix impatiente en se grattant l'intérieur du poignet, que vais-je faire ? A aucun moment je n'ai jugé nécessaire d'appeler pour confirmer ma réservation avant de venir, d'autant que nous nous sommes parlé, il y a à peine deux semaines, tu t'en souviens, j'espère ? Combien de temps ma chambre restera-t-elle occupée ?

Sans attendre, il vérifia sur l'ordinateur. Il posa ses bras sur le comptoir, et inspira profondément avant de répondre.

— Elle ne sera pas libre avant dimanche.

— Quelle poisse ! s'exclama-t-elle, visiblement désemparée. Il ne te reste aucune autre chambre de libre ?

Hank fit mine de vérifier le registre, même s'il connaissait déjà la réponse.

— Nous sommes complet pour toute la semaine.

Elle proféra un juron et se frotta fébrilement le coude.

— Quelque chose ne va pas ? demanda Hank en plissant le front.

Samantha fronça les sourcils d'un air entendu.

— Tu veux dire, outre le fait que je me retrouve à dormir dehors ?

Hank désigna sa main.

— Tu es en train de te gratter.

Aussitôt, elle s'immobilisa et rougit comme une enfant que l'on surprend en train de voler des bonbons.

— Non, tout va bien… Excepté que je suis fatiguée, affamée, et que j'ai attendu cette semaine de vacances toute l'année. Je me souviens d'ailleurs t'avoir fait part de mon enthousiasme dans un courriel récent, ajouta-t-elle en passant une main dans ses cheveux bouclés. Ma parole, je n'arrive pas à croire que tu aies pu laisser une telle chose arriver !

Sans trop savoir pourquoi, Hank eut l'impression que ce reproche à peine voilé cachait en réalité quelque chose d'autre. Il dévisagea Sam attentivement, et eut soudain le pressentiment que sa déception n'était pas seulement liée à la promesse envolée d'une semaine de farniente. Cela dit, elle avait parfaitement raison de lui en vouloir, car étant donné les nombreux cafouillages du système de réservation, il aurait au moins pu s'assurer que la chambre habituelle de Sam était bien réservée. Mais il s'était laissé déborder…

Sam leva les yeux au plafond, et soupira d'un air las.

— Bon, eh bien, il ne me reste qu'à remettre mes sacs dans ma voiture de location pour retourner directement à l'aéroport. Veux-tu bien m'aider à les transporter ?

— Non, nous allons nous arranger ! s'entendit-il s'écrier. Tu n'auras qu'à loger chez moi.

— Pardon ? demanda-t-elle en articulant chaque syllabe.

— Tu n'auras qu'à loger chez moi, répéta-t-il lentement.

Lui qui avait décidé de l'éviter comme la peste... Mais avait-il vraiment le choix, vu la situation ? Il s'agissait tout de même de Sam. Il ne pouvait décemment pas la laisser repartir ainsi. Il n'en avait aucune envie. Et puis, l'avoir à son côté au cours de la semaine éprouvante qui s'annonçait lui rendrait les choses moins insupportables.

— Où donc ? demanda-t-elle en levant un sourcil intrigué.

— Dans ma chambre, dit-il d'une voix neutre. Après tout, entre amis, il n'y a pas lieu d'en faire toute une histoire, hein ?

Sauf que le bouillonnement que ressentait Hank dans ses veines à l'idée de partager sa chambre avec Sam ne pouvait s'apparenter à un sentiment amical. Il avait déjà eu beaucoup de mal à contenir ses sentiments pour elle depuis des années, mais à présent que Sam s'était métamorphosée en femme fatale... il craignait de ne plus répondre de rien.

Sam pâlit à vue d'œil.

— Dans ta chambre ?

Malgré le trouble qu'il ressentait, Hank se mit à rire.

— Serais-tu devenue dure d'oreille ? Bien sûr, ma chambre, pas celle du voisin, que diable ! Tu prendras mon lit, et je m'installerai sur le canapé.

— Mais cela va être super-inconfortable pour toi…

Hank poussa un soupir théâtral et s'efforça de prendre un air humble.

— Tu n'en mesureras que pleinement le sacrifice que je consens.

Un sourire hésitant éclaira le visage de Sam.

— J'avais oublié à quel point tu as toujours réponse à tout…

— Je me contenterai de simples remerciements, l'interrompit-il avec une voix faussement modeste.

— Eh bien, merci ! dit-elle, les yeux pétillants.

— Il n'y a pas de quoi : en acceptant mon offre, tu viens probablement de me sauver la vie, ajouta-t-il d'un ton grave.

— Que veux-tu dire ?

— Mes parents me tueraient s'ils apprenaient que je t'ai laissée repartir, affirma-t-il en lui faisant un clin d'œil.

Les yeux de Sam se mirent à briller d'une lueur complice, et ses lèvres dessinèrent un sourire irrésistible.

— Tant mieux, je détesterais être la cause de ton trépas ! Au fait, comment vont-ils ?

Hank dut se faire violence pour détourner le regard de la bouche charnue de Sam. Ses lèvres avaient toujours été très prononcées, il avait remarqué ce détail des années plus tôt, lorsqu'il avait failli commettre l'irréparable en l'embrassant.

L'irréparable, parce que Sam avait toujours été la seule femme en qui il avait une confiance absolue, la seule auprès de qui il ne craignait pas de se mettre à nu, la seule à qui il s'était jamais confié. Sam était un pilier dans sa vie, une référence. De plus, son humour le ravissait.

Lorsqu'il était près d'elle, Hank avait l'impression d'être lui-même, les choses lui semblaient simples, il n'avait aucun effort à faire, aucun rôle à jouer. Il n'avait ressenti ce genre de sérénité qu'à ses côtés. Leur relation était d'un équilibre idéal. Ses sentiments pour elle étaient demeurés platoniques jusqu'à ce fameux été où elle avait eu dix-huit ans.

Hank se rappelait précisément le moment où il avait pour la première fois ressenti ce mélange terrifiant d'affection et de désir. Cet après-midi-là, Sam et lui avaient pris le ferry pour se rendre sur l'île aux Dauphins — à quelle occasion, il ne s'en souvenait plus. Mais il n'avait en tout cas jamais oublié le trajet du retour. Sam et lui étaient appuyés côte à côte sur la rambarde du pont à scruter l'écume rejetée par le bateau. Il l'avait observée du coin de l'œil, contemplant la courbe délicate de ses pommettes, son sourire si familier, et d'un seul coup, en un battement de cils, ses sentiments pour elle s'étaient révélés. Il avait été frappé par une envie subite d'embrasser Sam, d'embrasser sa meilleure amie.

Mais il s'était retenu à temps.

L'amitié qu'il partageait avec elle était trop précieuse, et si l'alcool l'avait encouragé à passer à l'acte, la raison s'était heureusement rappelée à lui juste avant qu'il ne gâche la seule amitié qui ait jamais compté à ses yeux. Il s'était refusé à la compromettre en s'abandonnant à cet étrange désir qu'il éprouvait pour la première fois. Ni ce jour-là, ni aucun autre.

Depuis, il était toujours resté sur ses gardes et avait appris à contrôler son attirance pour elle. Mais aujourd'hui, il suffisait de poser les yeux sur sa silhouette magnifique pour comprendre que cette fois la tâche s'annonçait plus difficile que prévu.

30

— Les parents sont en pleine forme, parvint-il finalement à répondre après un long silence.

Lors de leur trente-cinquième anniversaire de mariage, ses parents s'étaient embarqués pour une croisière en Alaska, étaient tombés fous amoureux de la région, et avaient décidé de confier la gestion de la maison d'hôtes à Hank, pour partir s'installer dans le Grand Nord. Bien que son nouveau travail à Clearwater lui plaise énormément, son père et sa mère lui manquaient. En basse saison, il leur rendait régulièrement visite, mais ces quelques escales demeuraient trop brèves à son goût.

— Tant mieux, répondit Sam avant de se mordre la lèvre inférieure. Mais, Hank, es-tu certain que cela ne te dérange pas si je m'installe dans ta chambre ? Je peux prendre le canapé, si tu veux, ou chercher un autre hôtel.

Il secoua la tête.

— Ne sois pas ridicule, tu restes avec moi. Point final ! Laisse-moi monter tes bagages et te conduire à... *notre* chambre !

Tout en disant cela, il contourna le comptoir, saisit les valises de Sam et lui fit signe de le suivre le long du couloir. Il sentit une nouvelle fois cette fragrance suave et fruitée, qui embrasait chacune de ses terminaisons nerveuses, et lui donnait l'impression que son sang était en train de frire au creux de ses veines. Il cligna des yeux, déjà trop émoustillé, et s'efforça de reprendre le dessus sur ses sens affolés.

Il la regarda par-dessus son épaule et sa beauté radieuse le frappa de nouveau au plus profond de son être.

Au cours de l'année qui venait de s'écouler, Sam lui avait bien mentionné à l'occasion de leurs conversations téléphoniques avoir travaillé son look et passé beaucoup de temps en salle de musculation, mais à aucun moment Hank n'avait présagé que le résultat final serait aussi époustouflant.

Pourtant, il aurait pu s'en douter.

Car avec Sam on savait toujours à quoi s'en tenir : oui signifiait oui, non signifiait non, et quand elle décidait de faire quelque chose, elle allait jusqu'au bout. D'ailleurs, le verbe échouer ne faisait pas partie de son vocabulaire. De plus, elle ne s'embarrassait jamais de discours politiquement corrects ni de toute autre attitude trop tempérée. En tout cas, avec elle il avait toujours pu garder son naturel, avec ses petites manies, ses défauts, sachant que Sam ne jugeait jamais les gens.

— Quel est donc ce parfum que tu portes ?

— Aucun, pourquoi ? demanda-t-elle en levant un sourcil interrogateur.

Tout en continuant d'arpenter le couloir en direction de l'arrière de la maison, Hank se retourna.

— Tu sens bon. Une odeur douce et fruitée.

— Cela doit être mon assouplissant pour vêtements, marmonna-t-elle entre ses dents.

Parfum ou assouplissant, cette odeur ne donnait qu'une envie à Hank : arracher les habits de Sam et lui sauter dessus.

Il fut en effet saisi d'un soudain désir de glisser ses mains le long de ses nouvelles rondeurs féminines, de goûter la chair de cette poitrine généreuse et de cette bouche, ô combien pulpeuse. Hank s'imagina alors explorer les délices les plus intimes que Sam avait à offrir ; il brûlait d'envie de se délecter de ce corps si prometteur, aux courbes affriolantes et à la fragrance sauvage.

Il s'obligea à fermer les yeux et à faire dérailler le train de ses pensées insensées.

La situation se présentait mal, pensa-t-il en introduisant la clé dans la porte de sa chambre. Un mélange d'anticipation et d'angoisse lui noua l'estomac alors qu'il ouvrait la porte et s'effaçait pour laisser entrer Sam.

« Adieu, quarantaine ! » se dit-il, complètement dépassé par les événements. A moins de quitter la maison d'hôtes, il allait difficilement pouvoir éviter Sam.

De toute façon, il n'en avait aucune envie.

Discrètement, Samantha se gratta l'intérieur du bras tandis que Hank lui ouvrait la porte de sa chambre. Dès qu'ils entreraient, elle allait devoir s'absenter un instant dans la salle de bains, le temps d'avaler un cachet antiallergique, avant qu'il ne soit trop tard et que ses irritations ne se transforment en urticaire géante. La dernière des choses dont elle avait besoin était que Hank se doute de quelque chose ! Un frisson lui traversa le dos à cette idée. Elle mourrait de honte si jamais son meilleur ami découvrait les extrémités auxquelles elle était arrivée, simplement dans le but de connaître enfin un orgasme bien mérité.

Plutôt mourir dignement que de courir un tel risque !

Hank fit quelques pas sur le parquet de la chambre et déposa les valises de Sam au pied de son lit à baldaquin qui n'avait pas été fait aujourd'hui.

— Je vais te faire de la place dans le placard et te libérer deux ou trois tiroirs de ma commode, déclara Hank.

— Merci, s'empressa-t-elle de répondre en se dirigeant vers la porte de la salle de bains attenante. Tu permets que j'utilise tes toilettes ?

— Je t'en prie, acquiesça-t-il en passant une main dans sa chevelure blondie par le soleil. Je vais en profiter pour mettre un peu d'ordre ici.

— Tu n'es toujours pas un maniaque du rangement, à ce que je vois, remarqua Samantha.

Elle zigzagua entre diverses piles de linge sale et des paires de chaussures.

Depuis toujours, Hank entretenait un désordre organisé dans sa chambre, et, aussi ridicule que cela puisse paraître, elle trouvait cela attachant. Bien sûr, cela risquait de ne plus durer si durant leur cohabitation elle allait être obligée de ranger et de nettoyer derrière lui.

— Toujours pas, en effet, admit-il en ramassant quelques emballages vides sur la table de chevet. D'ailleurs, je suis du style à ne pas retrouver mes affaires une fois que la femme de ménage est passée...

Samantha sourit, entra dans la salle de bains, et s'appuya contre la porte après l'avoir fermée.

Comme toujours, dès qu'elle revoyait Hank, elle se disait que cette fois les choses seraient différentes, qu'elle ne se laisserait pas autant troubler... Mais aujourd'hui comme chaque fois, elle avait l'impression que le sol se dérobait sous ses pieds dès qu'il posait les yeux sur elle. Un léger bourdonnement résonnait dans son crâne, tandis qu'elle avait la sensation d'être submergée par une vague d'affection et de désir. Elle avait l'air d'une demeurée, mais n'y pouvait rien. C'était plus fort qu'elle : Hank lui faisait toujours un effet incroyable.

Lorsqu'il était arrivé à la réception, aussi beau et sexy que s'il sortait directement du plateau de tournage d'*Alerte à Malibu*, et qu'il lui avait adressé ce sourire ravageur, elle avait cru que ses jambes ne la soutenaient plus. Un point sensible s'était éveillé au niveau de son entrejambe, et la pointe de ses seins s'était instinctivement dressée sous l'effet d'une poussée de désir incontrôlable. Elle avait toujours été physiquement attirée par lui — quelle femme ne l'était pas, d'ailleurs ? — mais cette fois la sensation avait été plus vive que jamais. Sans doute un des nombreux effets du « régime phéromones ». Car elle avait mangé durant ces trois derniers jours suffisamment de fruits de mer, d'algues marines, de miel et d'aphrodisiaques pour faire couler un bateau !

L'année passée avait été tellement frustrante sexuellement que Sam en était même arrivée à envisager de louer un homme pour la nuit… A Aspen, rien n'est impossible du moment que l'on a de l'argent. Mais elle avait trouvé l'idée de payer un homme afin qu'il accepte de passer la nuit avec elle si pathétique qu'elle l'avait abandonnée.

Cela dit, avec un professionnel elle n'aurait sans doute pas été déçue comme lors de sa première expérience. Elle aurait peut-être même pu insister pour signer un contrat du type « satisfaite ou remboursée ». L'idée l'avait fait sourire, mais elle avait préféré tout miser sur le « régime phéromones ». Tout ce qu'elle désirait, après tout, c'était un bon orgasme. Car voilà longtemps qu'elle ne rêvait plus au prince charmant.

Et, de toute façon, même si elle avait réussi en moins d'un an à remodeler sa silhouette et à améliorer son look de façon spectaculaire — au point qu'à présent il lui arrivait même de se trouver jolie — elle n'était pas sûre de pouvoir assurer la maintenance de sa nouvelle apparence. Car il fallait beaucoup de temps et de matériel pour se faire belle : gels capillaires, épilations, crèmes hydratantes, produits de maquillages et soupes hyperprotéinées… Un véritable investissement.

Bien sûr, tous ses efforts avaient été récompensés — à présent, elle était beaucoup moins complexée et se sentait bien dans sa peau. Mais parfois elle avait quand même l'impression d'en faire trop, de forcer la nature.

Elle enfouit un comprimé d'antihistaminique dans sa bouche avec un sourire satisfait, et l'avala à l'aide d'une gorgée d'eau. Tant pis si le « régime phéromones » forçait lui aussi Dame Nature en lui faisant ingérer des quantités astronomiques d'aliments auxquels elle était allergique ! Car, grâce à ce régime miracle, plus besoin d'envisager des solutions extrêmes comme se payer un homme : l'amant que Sam allait se choisir durant ses vacances partagerait son lit *de son propre gré* ; elle n'aurait aucun besoin de l'implorer de bien vouloir lui procurer un orgasme. Ce qu'elle voulait plus que tout, c'était se sentir désirée par un homme.

Au moins, tant qu'elle suivrait cette alimentation, elle était assurée de n'avoir aucun mal à en trouver. Quant aux suites post-régime... c'était, bien sûr, une autre histoire.

Si son plan se déroulait comme prévu — elle avait à cet effet lu tous les manuels traitant de séduction ou de sex-appeal qu'elle avait pu trouver, ainsi que toutes les rubriques « sexe » des magazines branchés —, elle n'avait aucune raison de ne pas arriver à ses fins. De plus, à force de côtoyer Hank et d'écouter ses confidences, elle savait à peu près tout ce qui rebute les hommes chez une femme. Grâce à lui, elle avait une idée assez précise de ce qu'un homme attend d'une partenaire.

Autre point positif pour elle, elle se sentait comme chez elle à Clearwater, connaissant le genre de clientèle qui fréquentait cette partie de la plage, elle avait peu de chance de faire un mauvais choix.

En plus d'avoir emporté avec elle des snacks à base de crustacés pour son régime, Sam s'était munie d'un impressionnant arsenal de préservatifs. Elle s'était préparée pour cette semaine comme un général se prépare à la guerre. Elle était fin prête. Elle allait se trouver un amant digne de ce nom. Elle voulait sentir les mains et la bouche d'un homme couvrir chaque millimètre carré de son corps — besogne dont le triste Ted à qui elle avait offert sa virginité n'avait pas daigné s'occuper, préférant en venir tout de suite au bouquet final.

Sam avait envie d'un homme qui lui ferait l'amour, un homme dont elle sentirait le poids sécurisant contre son corps, un homme qui saurait combler le vide qu'elle ressentait en elle depuis de trop longues années et lui offrir ce dont elle rêvait depuis longtemps. Elle voulait comprendre enfin pourquoi autant de livres, d'émissions de télé et de magazines passaient leur temps à disserter sur les bonnes méthodes, les mauvaises, les meilleures zones à stimuler, etc.

Après une première expérience sexuelle ratée, elle était bien décidée à trouver un homme qui fasse les choses correctement cette fois. Ce n'était pas trop demander quand même !

A cette idée, le visage de Hank lui vint aussitôt à l'esprit. Bien sûr, dans un monde idéal, c'est lui qu'elle aurait choisi comme amant, mais elle savait pertinemment que cela n'arriverait jamais, « régime phéromones » ou pas. Certes, elle l'avait vu rester bouche bée en découvrant son nouveau look — qui visiblement ne l'avait pas laissé indifférent — mais cela ne changeait rien au fait que leur amitié était inviolable.

Peu importait à quel point elle travaillerait son apparence, elle savait que, dès qu'il poserait les yeux sur elle, il reverrait les cheveux crépus, les taches de rousseur, les énormes lunettes et une silhouette décharnée. Aux yeux de Hank, elle resterait toujours une sorte de vilain petit canard. Il ne l'avait jamais considérée que comme une amie. Jamais comme une maîtresse potentielle.

Samantha se regarda dans le miroir et une pointe de regret lui enserra le cœur. Elle s'empressa de la chasser au plus vite. Elle ne voulait avoir aucun regret au terme de ces vacances qui s'annonçaient. Cette semaine allait être une des plus mémorables de sa vie. Ainsi en avait-elle décidé. Et pas question de laisser un désir impossible — ou une histoire d'amour impossible, pour être plus précis — l'en empêcher.

Elle n'avait qu'à se mettre au travail.

Pour commencer, il lui fallait prendre un petit en-cas à base de crustacé. Histoire de ne pas laisser s'estomper l'effet du régime.

3.

En sortant de la salle de bains, Samantha surprit Hank
en train de pousser une pile de linge sale contre le mur. Il
leva les yeux et lui sourit d'un air penaud.

— Je t'ai débarrassé une partie de ma penderie, et les
deux tiroirs du haut de la commode sont libres, dit-il en
se passant une main sur le visage. Ecoute, Sam, je tiens à
m'excuser pour ce quiproquo au sujet de ta chambre. Mais
depuis que Gladys est partie, nous sommes débordés. J'espère
que Tina finira par s'adapter à son poste, mais j'avoue que,
entre ses nombreux ratages et l'élection de Miss Plage, je
suis dépassé.

Il parlait d'une voix lasse et Sam posa sa main sur son
avant-bras pour le réconforter.

— Ne t'en fais pas pour ça, répondit-elle avec un sourire
complice. Je suis certaine que je serai parfaitement à l'aise
dans ton lit !

Evidemment, elle le serait encore plus s'il le partageait
avec elle, mais elle était bien consciente que ce scénario ne
se produirait jamais. Elle chassa donc cette idée saugrenue
de son esprit et jeta un œil sur le petit canapé. Aussitôt,
elle imagina la silhouette nue et musclée de Hank étendue
dessus.

39

— En revanche, ajouta-t-elle en faisant la moue, je crains que tu ne sois pas aussi bien installé sur ce canapé…

Hank sourit et s'appuya sur la tête de lit.

— Disons que ce sera ma punition pour avoir oublié ta réservation !

— Si nous avions suivi cette logique, je devrais plutôt dormir dans le lit de Tina !

— Heureusement qu'elle ne loge pas ici, car je pense qu'elle dormirait rarement dans son lit…, grommela Hank.

— C'est grave à ce point ? fit Sam avec une petite moue.

— Pire encore ! acquiesça-t-il en soupirant.

— Si elle est aussi inefficace, pourquoi la gardes-tu ?

— C'est la petite-fille de Gladys.

Hank avait toujours adoré Gladys. Sam savait qu'il n'aurait jamais rien fait qui puisse la blesser, même si cela signifiait en payer lui-même les pots cassés. Car avec une réceptionniste de l'acabit de Tina, il mettait en danger la réputation de son établissement.

— Je vois…, dit Samantha. Gladys ne l'a pas formée un minimum avant de lui confier les rênes de la réception ?

— Elle a bien essayé, expliqua Hank en haussant les épaules. Mais Tina estimait que la meilleure façon de se former est d'apprendre sur le tas.

Ce qui signifiait, en clair, que Tina ne comprenait rien à rien au fonctionnement de Clearwater et que Gladys avait abandonné ce qu'elle estimait comme une cause perdue. Sam se rendit compte que Hank se retrouvait dans un sale pétrin.

— C'est quoi ce concours de Miss Plage ? demanda-t-elle après un bref silence.

Hank croisa les bras et leva les yeux au plafond.

— L'enfer, répondit-il sans hésiter.

— Vraiment ? s'étonna-t-elle. J'aurais pensé au contraire que cela allait stimuler le tourisme dans les environs.

— C'est le cas, soupira Hank, l'air las. Or, c'est justement le problème. J'aurais préféré que notre maire, M. Flannagin, trouve une autre idée pour dynamiser la fin de la saison touristique. N'importe quelle autre idée, mais pas celle-ci…

— C'est drôle, dit Samantha en le scrutant avec amusement, mais j'aurais cru que ce genre de défilé de filles plus canon les unes que les autres t'aurait plutôt réjoui.

Il lui sourit, et aussitôt Sam subit une accélération brutale et plutôt mal venue de ses pulsations cardiaques.

— C'est ce que je croyais, moi aussi. Enfin, n'en parlons plus.

Hank la dévisagea des pieds à la tête et ajouta :

— En tout cas, je trouve que tu devrais t'inscrire à ce concours…

Sam sentit son regard brûlant la pénétrer tout entière, ce qui lui noua violemment le bas-ventre.

— Il n'en est pas question ! se défendit-elle. Je n'ai pas envie de me ridiculiser et, de toute façon, je n'ai pas le profil pour ce genre de concours.

— Tu pourrais être surprise, tu sais, insista-t-il avec un sourire amusé. D'autant qu'il ne s'agit pas d'un simple concours de beauté, la gagnante devra également prouver qu'elle a une tête bien remplie.

— Vraiment ? demanda-t-elle en se souvenant effectivement avoir entrevu une phrase à ce sujet sur le prospectus affiché à la réception.

— Tout à fait, assura Hank qui semblait soudain passionné par le sujet. Le concours débute officiellement demain, et les juges prendront en compte des critères comme la personnalité, le charme et la grâce des candidates. Les finalistes participeront à un jeu nommé *Questions pour une Miss* au cours duquel elles devront faire montre de leur culture générale. Et puis, au lieu du traditionnel défilé en maillot de bain, les concurrentes subiront une épreuve culinaire au cours de laquelle elles devront cuisiner un poulet frit et préparer un thé glacé traditionnel.

— Pardon ?

— Tu m'as bien entendu, acquiesça Hank en riant. Après tout, toute bonne Sudiste se doit de maîtriser les recettes du poulet frit et du thé glacé, non ?

— Ma parole, je n'ai jamais rien entendu d'aussi sexiste ! s'exclama Sam, abasourdie.

Un rire chaud et sensuel émana de la gorge de Hank.

— Pour toute réclamation, adresse-toi au maire, c'est lui qui a décidé du déroulement des épreuves.

Samantha secoua la tête en souriant.

— C'est incroyable ! Absolument incroyable...

Cela dit, elle n'était pas entièrement surprise. C'était une illustration de la mentalité provinciale des habitants de Orange Beach. Aussi exaspérant que cela puisse être, Sam ne pouvait s'empêcher de trouver cela attachant.

— En tout cas, la gagnante recevra un premier prix de taille : un voyage pour deux personnes aux Bahamas, un véhicule tout-terrain et un chèque de dix mille dollars. Pas mal, hein ? ajouta Hank avec un demi-sourire. D'autant que les frais d'inscription au concours sont minimes, afin de s'assurer une forte participation. Car plus il y aura de participantes, plus il y aura de touristes. Et plus il y aura de touristes, plus il y aura d'argent à gagner pour les professionnels du coin.

Certes, vu sous cet angle, cela paraissait logique. Mais tout de même, noter des jeunes femmes sur leur préparation de poulet frit ou de thé glacé… Ils y allaient un peu fort, songea Samantha.

— Il reste des bulletins de participation à la réception, reprit Hank en s'éloignant du lit. Les inscriptions seront closes ce soir. Essaie, tu n'as rien à perdre, après tout !

Aussi fou que cela puisse paraître, Sam se surprit à considérer sérieusement la suggestion de Hank. Elle n'était certainement pas la femme la plus jolie de la plage, mais au moins elle avait un cerveau et savait s'en servir, avait bon caractère, et savait, depuis peu, jouer de son charme. Peu à peu, l'idée de participer à ce concours lui parut moins saugrenue, et elle se laissa gagner par une sorte d'excitation. Et puis sa mère l'avait initiée à la cuisine traditionnelle du Sud, et elle était devenue experte en poulet frit. Même si elle ne ferait sans doute pas partie des favorites, Sam avait bien envie de tenter sa chance.

Après tout, elle ne rechignerait pas à conduire une voiture neuve, avait toujours rêvé de voyager, et n'aurait aucun mal à dépenser l'argent en cas de victoire — certes peu probable. Avec dix mille dollars supplémentaires ajoutés à ses économies, elle pourrait immédiatement réaliser son projet de quitter Aspen et de revenir vivre dans le Sud près de Hank après avoir acheté un appartement. A cette idée, ses veines se mirent en ébullition et Sam se sentit soudain pleine d'espoir.

Hank avait raison. Elle n'avait rien à perdre, et tout à gagner !

Elle se mordit la lèvre, et ses yeux croisèrent ceux de Hank.

— Tu dis que les fiches d'inscription sont à la réception ?

— Exact.

— Je pense que je vais passer mon maillot de bain et aller grignoter au bord de la piscine, puis j'irai en remplir une.

Il acquiesça, l'air ravi.

— Parfait ! En tout cas je suis heureux que tu sois restée à Clearwater malgré le ratage de Tina. Au fait, Sam, tu es… euh… vraiment superbe, ajouta-t-il d'un ton presque gêné.

Pour la première fois, il venait de lui faire un compliment. Tandis qu'elle sentait son cœur s'embraser, Sam lui décocha un sourire étudié.

— Je suis contente d'être de retour, moi aussi.

— Tu as prévu quelque chose de particulier pendant ton séjour ? demanda-t-il d'une voix légère. Une excursion à l'île aux Dauphins ? Ou à Fort Morgan ?

C'était effectivement le genre de lieux qu'elle visitait chaque année, mais Opération Orgasme ne lui laisserait que peu de temps pour ce genre de distraction touristique.

— Non, je n'ai rien décidé pour le moment, répondit-elle en évitant son regard.

Elle ne tenait pas à ce que Hank découvre les véritables motivations de son séjour. Ce qui était assez ridicule, dans la mesure où, de son côté, Hank n'avait jamais hésité à lui raconter en détail ses aventures avec les femmes.

Elle approcha du pied du lit, ouvrit une valise et en sortit son Bikini, qu'elle posa sur le lit en cherchant sa crème solaire. Car à moins de vouloir souligner ses taches de rousseur, elle allait devoir s'enduire régulièrement d'écran total. Avec un peu de vigilance, elle avait appris à

44

faire prendre à sa peau très claire une teinte peau de pêche lorsqu'elle s'exposait au soleil.

À cet instant, elle sentit le regard de Hank sur elle. Il la scrutait avec insistance, comme pour tenter de percer un secret.

— Pour le moment seulement ? demanda Hank.

Samantha continuait de fourrager dans la valise, agacée de ne pas trouver sa crème solaire qu'elle était pourtant certaine de ne pas avoir oubliée.

Bientôt, elle eut déballé la quasi-totalité de ses affaires qui s'entassaient sur le lit. Exaspérée, elle sortit les derniers magazines et autres babioles que le bagage contenait encore.

Soudain, un éclat de rire de Hank l'interrompit dans sa quête effrénée. Quelque chose dans son intonation lui donna un mauvais pressentiment.

Lorsqu'elle leva les yeux, il tenait le bas de son Bikini d'une main, et une boîte de préservatifs fantaisie de l'autre.

— De quoi s'agit-il ? demanda-t-il d'une voix amusée.

Si elle avait eu une pelle à portée de main, Samantha aurait certainement creusé un trou sans attendre pour s'y enfouir et oublier sa gêne. Elle sentit ses joues s'enflammer, mais parvint à se composer un sourire presque neutre. Puis elle haussa les épaules d'un air faussement désinvolte.

— Eh bien, franchement, je croyais qu'un homme de ton âge aurait une idée de l'utilisation des préservatifs ! A vrai dire, je me souviens qu'à une époque tu en avais toujours au moins un dans ton portef…

— Très drôle, rit-il en faisant tournoyer son Bikini au bout de son index. Mais depuis quand emportes-tu avec toi assez de préservatifs pour approvisionner tout un campus pendant un an ?

Samantha se redressa et récupéra le plus calmement possible le paquet de condoms dans la main de Hank, avant de le ranger dans sa valise. Puis elle lui reprit son bas de Bikini.

— Depuis que j'ai une vie sexuelle, rétorqua-t-elle, agacée par l'expression choquée de Hank.

Sa confiance en elle et son amour-propre en prirent un coup. Comme si la simple idée qu'elle puisse avoir des relations sexuelles — ou qu'un homme puisse avoir envie d'elle — lui était inimaginable.

— Depuis que tu as une vie sexuelle ? répéta-t-il lentement d'une voix sèche.

Son petit sourire en coin s'était évanoui. Puis, il écarquilla les pupilles, comme s'il venait d'avoir une brusque révélation.

— Ma parole, tu es venue ici en chasse d'un amant !

— Puisque je suis si bien équipée, qui sait, je pourrai peut-être te dépanner ! rétorqua Samantha. Mais sache que je n'ai que des extra-larges, ajouta-t-elle en posant délibérément ses yeux sur le devant du short de Hank. Je ne sais pas si ce sera ta taille...

Elle vit Hank déglutir péniblement.

Satisfaite de son petit effet, elle lui sourit.

— Quant à la chasse aux amants... Il se pourrait en effet que je lance un ou deux hameçons au cours de mon séjour ici. A présent, si tu veux bien m'excuser, je vais me changer.

Du coin de l'œil, Hank observait Samantha installée au bord de la piscine. A peine était-elle arrivée qu'une horde de célibataires bodybuildés s'étaient pressés autour d'elle, et la reluquaient comme un morceau de chair fraîche chez le boucher.

Dire que Sam avait changé relevait de l'euphémisme.

Elle s'était *métamorphosée*.

La Samantha qu'il avait connue n'aurait jamais osé porter un tel Bikini en public : il ne dissimulait que quelques petits centimètres carrés de sa chair veloutée. Hank avait été saisi d'un bref vertige lorsqu'il avait aperçu ses seins plantureux qui semblaient sur le point de s'échapper du minuscule morceau de tissu qui les soutenait. Si elle continuait à rire de la sorte à chacune des paroles de ses admirateurs, cela risquait d'ailleurs d'arriver. Cette simple idée suffit à mettre l'eau à la bouche à Hank.

En tout cas, après la découverte de la boîte de préservatifs, Hank avait décidé de se poster près de la piscine et de garder un œil sur Samantha. Visiblement, elle ne s'était pas contentée de lancer un ou deux hameçons, mais des dizaines !

Et il savait que son amie d'enfance était une des femmes les plus pragmatiques qu'il connaissait, donc elle ne se serait jamais équipée d'un tel arsenal de condoms sans avoir la ferme intention de s'en servir.

Hank venait de comprendre deux choses : Samantha avait une vie sexuelle. Et deuxièmement, elle comptait bien en profiter durant son séjour.

Car, entre son étonnant relooking, les préservatifs et les quelques unes de magazines qu'il avait aperçues pendant qu'elle déballait sa valise — « Spécial sex-appeal : les conseil de nos spécialistes ! », ou encore « Orgasme : comment inciter votre partenaire à prolonger le moment ! » — il n'y avait pas l'ombre d'un doute : Sam avait prévu de s'envoyer en l'air pendant toutes ses vacances.

Hank n'en revenait toujours pas. Il se mit à avoir un tic à la paupière gauche. A présent, il comprenait mieux pourquoi Sam avait paru si affectée par le fait de ne pas disposer de sa propre chambre. Visiblement, elle avait planifié son séjour comme un festival *sea, sex and sun*, et l'erreur de Tina avait sérieusement compromis son plan.

Au moins, l'incompétence de la réceptionniste avait pour une fois provoqué quelque chose de positif !

Mais le plus difficile pour Hank était de concevoir que Sam était une adulte à présent, une femme indépendante et libre de mener sa vie comme elle l'entendait. Cette idée lui était insupportable.

Peu lui importait de savoir s'il était devenu un macho possessif et rétrograde, il était bien décidé à empêcher son amie de s'adonner à la débauche qu'elle semblait avoir prévue. Il n'était en effet pas question pour lui de rester les bras croisés tandis qu'elle minauderait au bras d'un de ces apollons. Car, pour des raisons obscures qu'il préférait ne pas trop creuser, la seule idée qu'un homme puisse la toucher lui nouait l'estomac et le consumait d'un sentiment qui s'apparentait fortement à ce que l'on appelle de la jalousie. Et, avait une furieuse envie de tout casser autour de lui, à commencer par les jolis minois de ses courtisans en rut.

C'était une sensation horrible, et Hank n'était pas sûr de savoir se contenir — voilà des années qu'il dissimulait à Sam ses sentiments pour elle, mais partager sa chambre avec elle en connaissant ses intentions de dégoter un amant risquait d'être au-dessus de ses forces.

D'autant que si elle s'était donné tout ce mal pour séduire un amant potentiel, pourquoi ne l'avait-elle pas inclus, lui, sur sa liste de conquêtes éventuelles ?

C'était sans doute là ce qui était le plus irritant.

Il se redressa et marmonna un juron.

Pourquoi raisonnait-il soudain de façon si absurde ? Une aventure sexuelle entre Sam et lui ruinerait à jamais leur amitié, c'était précisément le scénario qu'il s'efforçait d'éviter depuis des années. Et Dieu seul savait à quel point cela était dur. Dieu seul savait à quel point Sam n'avait aucune idée des efforts qu'il devait consentir chaque fois qu'ils se voyaient. Mais il n'avait jamais pu se résoudre à mettre en danger une amitié si pure, si précieuse pour quelques moments seulement de volupté éphémère.

Tant pis si garder ses sentiments pour lui le rongeait de l'intérieur, il se devait de protéger leur amitié coûte que coûte. Même s'il désirait cette femme plus que toute autre depuis des années, et qu'il la désirait plus que jamais à présent qu'elle regardait d'autres hommes. Ce qu'il vivait en ce moment équivalait à une véritable torture.

Il l'entendit rire dans l'air iodé de l'après-midi, et en tournant les yeux vers elle, il eut un pincement au cœur. La brise marine agitait ses longues mèches blond vénitien contre la peau satinée de son visage, et elle souriait de façon trop enjouée. Il ne pouvait distinguer ses yeux verts derrière ses lunettes de soleil, mais il devinait aisément qu'ils pétillaient de cette lueur espiègle qu'elle avait toujours lorsqu'elle était détendue. Sam avait toujours été ainsi : sa joie de vivre était communicative. Combien de fois durant toutes ces années l'avait-elle réconforté avec son sourire ?

Elle avait relevé ses cheveux avec une pince, mais quelques mèches s'en étaient échappées et dansaient au-dessus de sa nuque. Hank remarqua que malgré l'écran total qu'elle avait appliqué sur sa peau après avoir mis son maillot de bain, ses épaules commençaient déjà à rosir sous le soleil. Si cela continuait, sa peau allait être de la même couleur que ce Bikini indécent, et l'effet ton sur ton donnerait l'impression qu'elle serait entièrement nue…

Ce qui ne ferait qu'une mince différence.

Mais quel corps parfait ! Qui aurait cru que quelques kilos en plus puissent faire une telle différence ? D'autant que Sam les avait pris aux endroits les plus stratégiques : seins, hanches et fesses. A présent elle avait une véritable silhouette de naïade. Hank brûlait d'envie d'enrouler une de ses longues mèches de cheveux autour de ses doigts, de prendre Sam dans ses bras, de respirer pleinement son parfum fruité et sensuel, et de goûter enfin à ses lèvres pulpeuses au sourire permanent.

Hank, qui avait pourtant déjà connu de nombreuses femmes, connaissait bien les aléas d'un tel désir physique. Or cette fois, il éprouvait en plus un étrange sentiment qui lui mettait les nerfs à vif, un sentiment inconnu qui n'avait rien de simplement sexuel. Raison supplémentaire pour contrôler plus que jamais sa libido en présence de Sam.

Bon sang, mais qu'allait-il bien pouvoir faire ? se demanda-t-il, désemparé *et* frustré. Il n'allait tout de même pas rester assis sans rien faire, à la regarder flirter ainsi avec ces beaux parleurs… et à essayer de deviner auquel elle allait accorder le privilège de porter un de ces satanés préservatifs extra-larges.

En tout cas, Sam paraissait parfaitement à son aise face à toute l'attention que lui accordaient ses admirateurs. Il la vit tremper une crevette dans une sauce de cocktail, la porter sensuellement à ses lèvres, et pencher la tête en arrière pour rire à gorge déployée à ce que venait de lui susurrer un des dragueurs au creux de l'oreille. Cette vision était un véritable supplice… Il devait réfléchir à un moyen de cantonner Sam dans son lit à lui pour l'empêcher d'aller dans celui d'un autre.

Visiblement, Sam s'amusait comme une folle… S'il ne trouvait pas un plan de contre-attaque au plus vite, elle partagerait le lit d'un mâle dès ce soir et ne manquerait pas de mettre à profit son armada de préservatifs !

En résumé, elle allait coucher avec un homme, sous son toit, et ce ne serait pas lui ! Hank sentit son cerveau se liquéfier à cette simple idée. En aucun cas il ne pouvait laisser une telle chose arriver.

Samantha avait invoqué leur amitié lorsqu'il s'était agi de résoudre son problème de réservation. Hank décida alors qu'il n'aurait aucun scrupule à se servir à son tour de leur amitié de longue date afin de s'assurer qu'elle reste cantonnée dans sa chambre… *à lui*.

Pour commencer, il allait inviter son amie à un dîner de retrouvailles entre vieux copains.

4

Tout en observant Hank du coin de l'œil, Samantha se mit à rire machinalement en écoutant ce que lui racontait un de ses courtisans. Elle ne manqua pas de remarquer que Hank avait l'air préoccupé, et que son visage habituellement insouciant paraissait tendu. Ses sourcils blonds étaient froncés et ses lèvres pincées lui donnaient un air renfrogné. Il irradiait l'agacement par tous les pores de son corps d'athlète, et Sam pouvait presque palper la tension qui en émanait depuis l'autre côté de la piscine. Il avait passé l'après-midi à fixer d'un œil menaçant chacun des hommes qui s'étaient approchés d'elle. Heureusement, aucun de ses nouveaux amis — et amants potentiel — ne s'était laissé intimider. Après tout, ils étaient des clients et Hank ne pouvait se permettre d'être incorrect avec eux !

Quiconque aurait assisté à ce petit manège aurait estimé que l'attitude de Hank était provoquée par de la jalousie. Mais Samantha savait que cela n'était pas le cas. Car pour être jaloux il faut éprouver un minimum d'intérêt et Hank n'était aucunement intéressé par elle en tant que maîtresse. Une nouvelle sensation de regret mêlée d'irritation lui agita l'estomac. Car après avoir découvert son arsenal de préservatifs et compris ses intentions, Hank avait eu une réaction qui s'apparentait plus à un élan de protection fraternelle qu'à une envolée de jalousie...

Qu'à cela ne tienne, il allait devoir comprendre qu'elle n'avait aucun besoin de son assistance, aussi bienveillante soit-elle. Non, ce dont elle avait besoin, c'était un or-gas-me. Et si Hank continuait à la surveiller ainsi, elle allait devoir lui expliquer la situation sans ambiguïté.

Elle s'était donné trop de mal pour se sentir attirante aux yeux des hommes, pour laisser Hank — aussi bien intentionné soit-il —gâcher son plan, car elle ne disposait que d'une semaine pour mettre son projet à exécution ! Heureusement, le « régime phéromones » semblait fonctionner à merveille. Elle porta une nouvelle portion de crevettes à ses lèvres et remercia intérieurement la médecine moderne qui lui permettait de se gaver ainsi d'aliments auxquels elle était allergique, sans pour autant se transformer en monstre recouvert d'une urticaire géante.

Elle avait à peine eu le temps de se choisir une table avant qu'un certain Jeff lui propose de lui offrir une boisson. Elle avait opté pour un soda parce qu'elle ne pouvait mélanger alcool et antihistaminiques, mais aussi parce qu'elle tenait à conserver toute sa lucidité. Car, la dernière fois qu'elle s'était choisi un amant, elle était en état d'ébriété, et le résultat avait été aussi décevant et frustrant que non concluant.

Elle n'allait pas commettre deux fois la même erreur.

Cette fois, elle savait ce qu'elle voulait et ferait en sorte de trouver l'homme qu'il lui fallait. Un amant attentionné, pas seulement bien bâti, mais qui saurait user et abuser de ses charmes. Un homme qui, comme elle, était à la recherche d'une histoire sans lendemain, purement sexuelle. A cette idée, un frisson d'anticipation parcourut l'échine de Sam.

Une onde de chaleur et d'excitation se propagea à travers tout son corps, jusqu'à lui embraser le bas-ventre.

En fin de compte, il lui fallait exactement le genre d'homme contre lequel sa mère l'avait mise en garde... Le genre d'homme qui en d'autres circonstances lui ferait prendre ses jambes à son cou.

Du coin de l'œil, Samantha dévisagea un à un les prétendants agglutinés autour d'elle, et ne put réprimer un petit sourire de satisfaction. A présent, elle n'avait que l'embarras du choix. Car à l'exception de Carlton qui semblait être un bien trop gentil garçon et de Ted qui arborait une démarcation de bronzage à la base de l'annulaire ce qui indiquait qu'il portait habituellement une alliance, Sam était entourée d'une cour d'amants potentiels aussi sexy les uns que les autres.

Seule petite ombre à ce tableau idyllique : Hank. Depuis qu'elle s'était installée au bord de la piscine, il ne l'avait pas quittée des yeux et se rapprochait peu à peu de son groupe.

Il avançait de table en table, faisant mine de s'assurer du bien-être de ses clients et que ceux-ci n'avaient besoin de rien. Samantha lui avait toujours envié cette aisance qu'il avait avec les gens, son charme, son charisme... Hank avait toujours su parler aux autres, mais elle avait la nette impression que, cet après-midi, il faisait la causette à ses clients avec beaucoup moins de naturel qu'à l'accoutumée. Il semblait soucieux et un brin agité, et pour des raisons qui lui échappaient, Sam eut le pressentiment que cela avait quelque chose à voir avec elle.

En l'observant ainsi, elle fut submergée par ce même sentiment d'affection et de désir qu'elle s'efforçait de contenir depuis des années, et se mordit la lèvre.

« Si seulement j'étais née belle et sexy. Si seulement je pouvais te choisir, toi… Si seulement tu m'aimais… »

Samantha battit des paupières en s'efforçant de chasser toutes ces idées saugrenues de son esprit. Elle avait perdu suffisamment de temps dans sa vie à espérer l'inaccessible… Aujourd'hui, il était hors de question qu'elle passe sa semaine de vacances noyée dans des regrets stériles. Cette semaine allait être consacrée à ce qu'elle *pouvait* avoir, et non à ce qu'elle ne pouvait même pas *espérer*. Cette semaine, elle allait dénicher un amant compétent qui saurait la conduire sur les chemins du plaisir et de la jouissance.

Elle tourna les yeux vers Jamie, un entrepreneur de Birmingham. Ce grand brun ténébreux à l'allure irrévérencieuse avait piqué sa curiosité et cela le propulsait pour l'instant en tête sur la liste des amants potentiels. Certes, elle n'était pas chavirée de désir pour lui, mais quelque chose en lui de sombre et mystérieux ne la laissait pas insensible. Elle se mordit de nouveau la lèvre. En tout cas, Jamie semblait parfaitement capable de répondre à ses attentes.

Elle fit un effort pour reprendre part à la conversation afin d'en apprendre un peu plus sur lui. Mais elle ne tarda pas à froncer les sourcils d'impatience. Si seulement elle pouvait lui poser directement les questions qui l'intéressaient, ils pourraient se dispenser des préliminaires d'usage et passer illico aux choses sérieuses.

« Dites-moi, Jamie, vous considérez-vous comme un bon amant ? Etes-vous attentionné envers vos partenaires ? Etes-vous en bonne santé ? Dans l'hypothèse où nous coucherions ensemble, seriez-vous en mesure de tenir suffisamment longtemps afin de m'assurer une satisfaction totale ? Cela vous dirait-il de vous enfermer dans une chambre avec moi

pendant toute la semaine, et puis de m'oublier à jamais ?
Et si... »

— Je ne sais pas à quoi tu es en train de penser, mais vu ton sourire, je parierais que c'est classé X, murmura une voix trop familière au creux de son oreille.

Samantha tressauta et maudit l'onde de chaleur qui se propagea sur toute sa nuque à partir de l'endroit où le souffle tiède de Hank avait effleuré sa peau. Comment avait-il pu s'approcher si près d'elle sans qu'elle ne s'en rende compte ?

Malgré son agacement, elle se surprit à lui retourner son sourire. Elle n'avait jamais su résister à la petite étincelle dans son regard bleu azur.

— Eh bien, tu aurais perdu ton pari, répondit-elle d'une voix assurée. Disons simplement que mes pensées seraient peut-être interdites aux moins de seize ans !

Le sourire de Hank se figea, puis il plissa le front l'air inquiet.

— Et lequel de ces tocards t'a-t-il inspiré ce genre de sourire coquin ? demanda-t-il à voix basse afin que les autres ne puissent pas l'entendre.

Samantha sourit à son tour.

— C'est une question quelque peu indiscrète, cher ami, rétorqua-t-elle.

Elle s'écarta légèrement afin de mettre un terme à leur aparté et, jetant un regard circulaire, leva la main.

— Messieurs, pour ceux qui ne le connaissent pas encore, je vous présente Hank Masterson, le propriétaire de cette somptueuse maison d'hôtes.

Hank la regarda d'un air furieux avant de revêtir son plus beau sourire d'hôte de résidence de tourisme. Et plutôt que de tenir à ses clients le traditionnel bavardage mondain, il leur posa le plus naturellement du monde des questions à peine voilées au sujet de leurs éventuelles petites amies, fiancées ou épouses.

Samantha comprit qu'ils étaient tous des habitués et que Hank connaissait bien leur vie. Il fit un commentaire énigmatique à Carlton au sujet d'une certaine cure de désintoxication. Seul Jamie, toujours numéro un sur sa liste d'amants potentiels, n'avait pas encore été discrédité par Hank. Un mélange d'agacement et d'angoisse noua l'estomac de Samantha.

Bien qu'elle n'ait auparavant jamais vu Jamie à Clearwater, Sam se rendit compte qu'il n'était pas seulement un habitué du lieu mais aussi un ami de Hank. Ils bavardaient tous deux de façon très décontractée, se remémorant un récent après-midi de surf.

Pourquoi avait-elle la curieuse impression que Hank faisait tout pour l'éloigner de Jamie ? Son ami d'enfance semblait bel et bien marquer son territoire autour d'elle et faire en sorte qu'aucun homme ne l'approche à plus de deux mètres.

Elle aurait aimé être persuadée que son « régime phéromones » combiné avec son nouveau look permettrait à Jamie d'outrepasser les manœuvres de Hank mais, malheureusement, rien n'était moins sûr. Les hommes étaient si compliqués... Elle n'avait jamais véritablement réussi à comprendre leur mode de fonctionnement, mais pour l'heure, elle ne souhaitait qu'une chose : que Hank s'occupe de ses affaires et qu'il la laisse lier connaissance à sa guise avec Jamie ! Mais à l'aide de quelques phrases bien choisies, Hank était sur le point de gâcher un projet qu'elle avait mis près d'un an à élaborer.

Sam repensa alors aux cocktails hyperprotéinés, aux séances de musculation, aux milliers d'heures qu'elle avait passées devant son miroir à s'entraîner à se maquiller et à se coiffer, sans oublier bien sûr la mise au point du « régime phéromones ». Elle sentit ses propres dents grincer tandis que son irritation se muait en une colère froide. Et dire qu'elle se forçait depuis des jours à manger des aliments qu'elle n'aimait pas — et auxquels elle était totalement allergique — simplement pour s'accorder une semaine de béatitude sexuelle. Ma parole, elle y avait bien droit après tant d'efforts, non ?

Elle en avait tellement envie.

Et elle le méritait bien.

Elle adressa un regard furibond à Hank. S'il s'imaginait qu'elle le laisserait faire et qu'elle allait abandonner son projet simplement parce qu'il s'amusait à faire fuir tout homme qui l'approchait de trop près, il se fourrait le doigt dans l'œil. De toute façon, cette plage regorgeait de jeunes hommes célibataires...

Il lui suffisait de repartir en vadrouille et de pêcher le bon poisson.

— C'est donc elle, la fameuse Samantha, murmura Jamie l'air songeur. C'est drôle, je ne l'imaginais pas du tout comme cela.

Hank regarda l'objet de son tourment effectuer un plongeon parfait dans la piscine, et sentit son humeur virer de maussade à massacrante. Il se passa une main sur le visage en faisant la moue.

— Moi non plus...

58

Il avait été obligé de se montrer presque désagréable cet après-midi afin de dissiper la nuée d'apollons qui tournaient autour de Samantha comme des abeilles autour de leur ruche. Finalement chacun des prétendants avait fini par s'en aller à la conquête d'autres proies, à l'exception de Jamie. Hank savait parfaitement que son ami était resté uniquement pour découvrir ce qui l'avait poussé à sortir ainsi de ses gonds.

Il n'y avait pas longtemps que les deux hommes se connaissaient, mais ils s'étaient liés d'amitié tout de suite. Ils s'étaient rencontrés au début de la saison, au cours d'une compétition de surf amateur. Jamie avait appelé la semaine dernière en lui demandant s'il pouvait venir passer quelques jours à Clearwater.

Hank repensa à Samantha. Elle n'avait visiblement pas apprécié la manière dont il avait fait le vide autour d'elle : elle l'avait regardé de travers tout le reste de l'après-midi.

Il savait qu'elle avait compris son petit manège. Ce qui n'était guère surprenant dans la mesure où ils avaient toujours su lire dans les pensées l'un de l'autre. Ce n'était pas un hasard s'ils étaient amis depuis si longtemps. D'ailleurs, Hank se demandait combien de temps il faudrait encore à Sam pour se rendre compte qu'il ne cherchait pas seulement à la protéger, à l'empêcher de commettre une erreur, mais qu'il avait aussi un intérêt tout personnel à ce qu'elle n'utilise aucun préservatif de sa maxi-boîte. La seule idée qu'elle puisse y avoir recours lui tordit l'estomac.

Il avait bien pressenti, dès la minute où il lui avait demandé quels étaient ses projets pour la semaine, que Sam avait quelque chose d'inhabituel en tête. Elle était d'une nature trop prévoyante pour partir en vacances sans la moindre idée de la façon dont elle allait occuper son séjour. En général, elle ne se baladait jamais sans dans son sac à main une petite liste des choses à faire, à ne pas manquer, etc.

Jamie avala une longue gorgée de bière, et se mit à étudier Samantha avec un intérêt qui donna envie à Hank de lui écraser son poing sur la figure.

— Tu m'avais bien dit que c'était une fille sympa et une amie fidèle, commenta Jamie d'une voix songeuse, mais tu avais oublié de mentionner à quel point elle était canon…

Hank se contenta de grommeler.

Jamie s'appuya contre le dossier de son fauteuil et croisa les jambes.

— Si je comprends bien, vous vous voilez tous les deux la face…

« Faux ! » pensa Hank en marmonnant de nouveau quelque chose d'inaudible entre ses dents. Il ne s'était jamais voilé la face concernant Samantha. Le véritable problème était qu'il avait trop de sentiments pour elle.

Il avait vu une horde d'hommes en rut tourner autour d'elle toute la journée, à reluquer sa poitrine, sa bouche, et à tenter leur chance pour la mettre dans leur lit. Il l'avait regardée rire et flirter et se délecter de toute l'attention qu'elle obtenait de la part de ses prétendants, et plus la journée avançait, plus il avait senti une colère presque irrationnelle monter en lui. Il s'en voulait terriblement de désirer Samantha, il lui en voulait d'être à l'origine de tels sentiments, et il en voulait à tous les hommes — y compris Jamie — de lui avoir tourné autour comme une bande de chiens affamés.

Il ignorait ce qui avait déclenché en Sam un besoin effréné de sexe, mais ce dont il était sûr, c'était qu'une telle quête ne pouvait se terminer qu'en cœur brisé pour elle, et en regret éternel pour lui.

Il ne pouvait pas laisser une telle chose arriver.

Et si elle était à ce point en manque, elle pouvait très bien se trouver un amant chez elle, dans le Colorado ! Rien ne l'obligeait à venir faire des folies de son corps ici, chez lui, sous son nez. Cela dit, l'honnêteté l'obligeait à reconnaître qu'il préférait qu'elle ne fasse aucune folie avec personne… sauf lui. A supposer qu'elle-même en ait envie. Visiblement, ce n'était pas le cas puisqu'elle prenait un malin plaisir à exposer son décolleté à tous les mâles des alentours, sauf lui.

Jamie dévisagea Hank attentivement, avant de ramener son attention vers Samantha, qui était en train de faire des longueurs dans la piscine.

— Dans la mesure où tu as clairement indiqué que Sam était chasse gardée, je suppose que tu as des vues sur elle, non ? Alors, si tu m'expliquais tout ?

— Sam est une amie, répondit Hank d'une voix lasse. Je me contente de veiller sur elle.

Il toussota pour cacher son embarras. Il ne se serait pas cru capable d'un mensonge aussi énorme !

— Et c'est tout ?

Hank ignora le regard inquisiteur de Jamie et avala une gorgée de bière.

— C'est tout, acquiesça-t-il.

Pas question de lui dire la vérité. Son ami lui aurait immanquablement suggéré de passer à l'action et d'avouer ses sentiments à Sam, ce qui était bien entendu hors de question. Il n'était pas prêt à mettre en danger une amitié aussi précieuse pour quelque chose d'aussi furtif que le sexe. Pas même s'il s'agissait, en l'occurrence, d'une expérience sexuelle qui serait, il le pressentait, époustouflante.

— Allons, tu la considères comme une proie rêvée, n'est-ce pas ? demanda Jamie en relevant un sourcil.

Hank fourragea nerveusement dans ses cheveux.

— Non, répliqua-t-il d'une voix tendue. Si c'était le cas, je ne serais pas venu déloger tous ses prétendants. Et puis, Sam n'est pas une *proie*, ma parole ! C'est une femme superbe, une amie de longue date sur le point de s'attirer des ennuis. Et j'ai bien l'intention de lui éviter de grosses désillusions.

Jamie hocha la tête d'un air entendu et se mit à sourire d'un air narquois.

— Ah, je vois : tu cherches à la protéger d'elle-même ? murmura-t-il d'un ton sarcastique. Bravo ! C'est très noble de ta part.

Hank poussa un long soupir et fit un petit geste agacé.

— Ecoute, elle est venue ici avec assez de préservatifs pour approvisionner tous les campus de la côte Est pendant un an, ainsi qu'une pile de magazines spécialisés dans les techniques d'approche sexuelles. Elle est ici en chasse, elle ne rêve que d'une chose : une bonne partie de jambes en l'air. Et je ne…

Hank fut interrompu par l'éclat de rire de Jamie.

— Et cela est supposé être convaincant ?

A ces mots, Hank se mit à se gratter les yeux sous l'effet de l'énervement.

— Tu ne connais pas Samantha mais, crois-moi, ce n'est pas son style.

— Peut-être a-t-elle changé, tout simplement ? remarqua Jamie en haussant les épaules.

Hank fronça les sourcils. Il avait lui aussi envisagé cette éventualité. Mais même si Sam avait beaucoup changé physiquement, son nouveau look ne pouvait pas en lui-même avoir modifié à ce point son caractère, sa personnalité, sa manière de concevoir la vie.

— Non, c'est impossible, répondit-il en secouant la tête. Au fait, je lui ai proposé de partager ma chambre : Tina a encore cafouillé avec le système de réservation. Au moins, cette fois, j'ai pu en tirer un quelconque bénéfice !

— En effet, gloussa Jamie.

— Ce n'est pas ce que tu crois ! protesta Hank entre ses dents. Je veux simplement dire par là qu'il sera plus facile pour moi de garder un œil sur elle.

— Quelle épreuve… !

— Espèce de goujat ! s'écria Hank en le fusillant du regard.

Jamie le regarda et redevint sérieux.

— Elle est adulte, Hank. Personnellement, je crois que tu devrais te contenter de lui donner ton opinion, et te faire discret. Elle ne va pas apprécier ton ingérence dans sa vie.

— Peut-être pas aujourd'hui, en effet. Mais un jour, elle me remerciera.

Jamie le dévisagea d'un air sceptique.

— Je n'en suis pas si sûr.

— Ecoute, Jamie, je connais Samantha mieux que quiconque, insista Hank. Contrairement à ce que tu as pu voir d'elle cet après-midi, c'est une fille… très gentille. Trop gentille.

— Elle a en effet l'air adorable, acquiesça Jamie. D'autant qu'elle est vraiment ultrasexy. Et à mon avis, si elle a décidé de s'envoyer en l'air, ce n'est pas toi qui l'en empêcheras.

Ils tournèrent tous deux les yeux en direction de Samantha. Elle était en train d'effectuer un dos crawlé qui ne faisait que mettre un peu plus en valeur sa poitrine qui émergeait furtivement de l'eau à chacun de ses mouvements. Cette simple vision suffit à ce que Hank se sente à l'étroit dans son pantalon.

— Tu sais, elle n'avait qu'à lever le petit doigt pour se retrouver dans le lit d'un de ces types, remarqua Jamie.

Comme s'il ne le savait pas, se dit Hank, furieux que son ami lui rappelle cette cruelle réalité. Et c'est bien la raison pour laquelle il avait tout fait pour les éloigner d'elle.

— J'ai la situation en main, assura-t-il les mâchoires serrées.

En tout cas, il ferait tout son possible pour que la situation ne lui échappe pas. Sam rentrerait dans le Colorado dans le même état que celui dans lequel elle était arrivée à Clearwater, et remporterait avec elle son paquet de préservatifs sans même avoir touché à l'emballage.

Il but une nouvelle gorgée de bière.

— Donc, elle ne t'intéresse pas ? demanda Jamie d'une voix faussement désinvolte.

— Pas de la façon dont tu crois, mentit Hank.

— Tu en es bien sûr ?

Hank acquiesça, incapable de sortir un son supplémentaire de ses lèvres.

Jamie se mit alors à sourire d'une drôle de façon. Un frisson parcourut l'échine de Hank.

— Bien, dans ce cas-là, ça ne te dérange pas si je l'invite à dîner ?

Et avant que Hank ne puisse protester, Jamie se leva puis plongea dans la piscine en lui décochant un sourire de prédateur. Hank soupira.

Qu'avait-il fait pour mériter un tel supplice ?

Il avait des projets de dîner avec Sam — ils avaient besoin de se raconter tout ce qu'il leur était arrivé durant cette année — et il n'était pas question qu'il laisse un ami encombrant gâcher son plan. Hank avait prévu d'emmener Samantha dîner au restaurant le soir de son arrivée — c'était la tradition, chaque fois qu'elle venait. D'ailleurs, elle passait habituellement l'intégralité de ses vacances avec lui. Pas seulement dans sa maison d'hôtes, mais *avec lui*. Ils prenaient tous leurs repas ensemble, regardaient des films en vidéo, allaient se baigner, faire de la voile, et se balader sur la plage le soir. Parfois il arrivait même que Sam lui donne un coup de main si le besoin s'en faisait sentir.

Si le besoin s'en faisait sentir...

A ces mots, Hank eut une véritable illumination, et un plan machiavélique se forma dans les brumes de son cerveau torturé. A présent, il savait comment faire oublier à Samantha qu'elle recherchait un amant : s'il se débrouillait bien, elle n'en aurait plus ni le temps ni l'énergie.

Hank se mit à sourire. Il ne lui restait plus qu'à mettre son plan à exécution...

65

5.

Samantha regrettait d'avoir décliné l'invitation à dîner de Jamie mais, avant de mettre à exécution ses projets pour la semaine, elle devait régler certaines choses avec Hank.

Elle avala un cachet d'antihistaminique avec un peu de soda, puis remit ses sandales et se regarda une dernière fois dans le miroir avant de quitter sa chambre. Elle était convenue avec Hank de se retrouver sous le porche d'entrée.

Une fois dehors, elle s'installa sur la balancelle en osier. Une brise iodée parvint jusqu'à ses narines. Elle avait toujours adoré ce parfum qui embaumait l'air de Clearwater, ainsi que le bruissement subtil des ailes des mouettes qui planaient au-dessus des vagues.

C'était le moment de la journée qu'elle préférait, lorsque les ombres s'allongeaient et que le temps semblait se suspendre. La plage était désertée, seuls les amoureux véritables de la mer — comme elle — s'y rendaient encore à cette heure-ci. Le ciel se déclinait en une étrange palette de bleu pâle, de rose, d'orange et de couleur lavande, tandis que le soleil se fondait avec la ligne d'horizon. Sam inspira profondément et ferma les paupières afin de mieux savourer encore chaque sensation qui s'offrait à elle en ce moment privilégié.

Dans ces instants-là, elle se sentait… chez elle.

Dans ces instants-là, elle mesurait à quel point elle avait envie de revenir vivre ici, et de posséder elle aussi, un jour, son petit bout de plage. D'ailleurs, lorsqu'elle repensait à Orange Beach, elle ne visualisait pas spontanément la maison où sa grand-mère l'avait élevée, ni même celle dans laquelle elle avait vécu avec ses parents. Non, chaque fois qu'elle pensait à revenir s'installer ici, elle revoyait Clearwater, l'imposante et magnifique demeure victorienne des parents de Hank.

Ornée de volets verts et flanquée de multiples porches et hautes tourelles, la maison avait été construite face à la mer. Parée de tous ses ornements, elle paraissait la concurrencer. Les avant-toits rivalisaient d'allure et une vieille girouette se dressait vaillamment sur la charpente d'une petite coupole.

Samantha avait passé des années à fantasmer de vivre un jour dans cette maison au côté de Hank, et à la remplir d'enfants bruyants et turbulents. Surtout après la mort de ses parents. Mais les années passant, elle s'était rendu compte de la futilité de son rêve et s'était résignée à l'abandonner. Curieusement, elle n'avait jamais pu s'imaginer vivre ailleurs qu'ici ni fonder une famille avec quelqu'un d'autre que Hank. Elle visualisait leurs enfants blonds et aux yeux azur, des répliques miniatures de Hank. Certes, elle se disait bien qu'un jour elle rencontrerait un homme dont elle tomberait amoureuse, mais plus le temps passait, plus elle en doutait.

Depuis l'âge de cinq ans, son cœur était voué à Hank Masterson, et elle n'avait jamais sérieusement envisagé de le réserver à quelqu'un d'autre.

Pire, elle avait même fini par accepter cet état de fait.

Elle soupira. La meilleure des choses qu'elle pouvait espérer était d'emménager à Orange Beach, près de lui, et de continuer à entretenir leur amitié.

En attendant que Hank ne la rejoigne, elle acheva de remplir sa fiche d'inscription à l'élection de Miss Plage, et glissa un billet de vingt dollars à l'intérieur de l'enveloppe. L'investissement était relativement modeste au regard de ce qu'il pouvait rapporter. Bien sûr, Sam n'espérait même pas accéder à la finale, mais au moins elle était suffisamment optimiste pour tenter sa chance sans se sentir ridicule. Le formulaire d'inscription indiquait que des juges « en civil » arpenteraient la plage tout au long de la semaine pour « observer » les candidates à la dérobée, et que le concours de poulet frit et de thé glacé se tiendrait le samedi après-midi. Quant à l'élection officielle, elle aurait lieu le samedi soir. Samantha se dit qu'elle allait devoir consacrer une journée entière de son emploi du temps de vacancière libertine aux préparatifs. Mais la perspective de gagner suffisamment d'argent pour pouvoir revenir vivre ici plus tôt que prévu valait bien une journée de vacances perdue !

En attendant, Hank était probablement persuadé que son attitude de cet après-midi au bord de la piscine combinée au regard foudroyant qu'il avait adressé à Jamie l'avaient convaincue de dîner avec lui plutôt qu'avec Jamie.

Eh bien, si tel était le cas, il se trompait.

Certes, la tradition voulait qu'ils dînent toujours ensemble dès le soir de son arrivée à Clearwater. Et, certes, ils passaient habituellement la majeure partie de leur temps ensemble à se raconter leur vie. Mais Sam n'arriverait jamais à se trouver un amant — son lot de consolation pour ne pas pouvoir avoir Hank — si elle restait tout le temps avec lui. Surtout s'il continuait à prendre un malin plaisir à faire fuir tous les hommes qui l'approchaient. A cette idée, une onde d'irritation lui titilla les nerfs. Elle n'avait qu'une petite semaine pour agir et remédier à tout cela. C'était le moment où jamais pour elle de prendre un amant.

Dieu merci, Jamie ne paraissait pas impressionné par le comportement ouvertement possessif de Hank — en fait, Sam et lui avaient décidé de se retrouver pour prendre un verre après son dîner avec Hank — mais elle ne pouvait tolérer une telle attitude de la part de son ami. Pour l'heure, la chose la plus simple à faire était de provoquer une discussion afin de lui faire comprendre qu'il se mêlait de ce qui ne le regardait pas, et que ce petit caprice de petit ami jaloux — ce qu'il n'était pas — devait cesser.

Une boule se forma au creux de la gorge de Sam, qui pensait soudain à ce que leur relation aurait pu devenir, mais ne serait jamais.

Voilà longtemps qu'elle s'était résignée au fait qu'elle ne pourrait jamais obtenir l'amour de Hank, seulement son amitié. Mais quelque part au fond de son cœur, elle continuait d'espérer. Et continuerait toujours. Même si la raison lui avait dicté depuis longtemps la futilité de ses sentiments, et la nécessité de tourner son énergie vers un objectif plus accessible. Comme trouver un homme capable de lui offrir un orgasme bien mérité par exemple.

Mais si Hank continuait de se conduire comme si elle lui appartenait, Sam n'avait aucune chance d'atteindre son but. Pas question pourtant de le laisser s'immiscer ainsi dans sa vie privée. Dans sa vie intime. A cette idée, une onde fiévreuse se propagea à travers tout son corps, s'attardant sur la pointe de ses seins et sur son entrejambe, ce qui lui rappela douloureusement l'incroyable niveau de frustration sexuelle qu'elle avait atteint. Chaque cellule de son corps réclamait un contact physique, une symbiose qu'elle n'avait encore jamais connue. Elle n'en pouvait plus d'attendre.

Elle voulait un homme.

Elle mourait d'envie de sentir la peau brûlante d'un homme contre la sienne. Et elle n'avait plus à présent aucun doute quant à l'efficacité du « régime phéromones ». D'ailleurs, si elle n'avait pas été allergique aux fruits de mer, elle aurait probablement appliqué ce régime toute l'année maintenant qu'elle avait pu en expérimenter les effets. Car non seulement elle semblait émettre suffisamment de phéromones pour attirer le moindre mâle dans un rayon de quinze kilomètres, mais ce régime lui procurait en plus un effet bonus : celui de se sentir belle, confiante et désirable. Pour la première fois de sa vie, elle se sentait *sexy*. Et c'était là une sensation vraiment extraordinaire.

Elle était si excitée qu'elle aurait presque pu sauter sur le premier venu, se passant des préliminaires d'usage pour en venir directement à ce qui l'intéressait : du sexe, du sexe, du sexe.

Hank choisit le moment précis où ses pensées dérivaient ainsi pour arriver sous le porche.

Samantha leva les yeux vers lui et ne put s'empêcher de réprimer un petit rire.

— Quoi ? Qu'y a-t-il de si drôle ? demanda-t-il.

Il vint s'asseoir à côté d'elle sur la balancelle. Du coin de l'œil, Samantha lorgna son profil, ses yeux s'attardèrent sur la bouche sensuelle au sourire tellement sexy. Le parfum de Hank — mélange subtil d'odeur de plage, légère et virile, et d'eau de Cologne — se mit à flotter autour de Sam. Il avait troqué son short habituel pour un bermuda stylé et une chemise en lin jaune, ainsi que des sandales en cuir. Tout en lui exsudait une confiance naturelle.

Si seulement elle avait pu lui ressembler ! Elle avait consenti des efforts considérables pour remodeler sa silhouette et changer d'allure, elle s'était lancée dans le « *régime phéromones* », tout cela pour profiter pendant une petite semaine de ce que Hank avait en lui de façon naturelle : du sex-appeal. Sam était parfaitement consciente que le jour où elle arrêterait ce régime miracle, son petit aperçu de la vie dans la peau d'une vamp s'évaporerait. La fête serait finie.

Raison de plus pour faire tout son possible afin que cette semaine soit un succès !

— Non, il n'y a rien de particulièrement drôle, répondit-elle en sentant son cœur s'accélérer du fait de la proximité de Hank. J'évaluais juste l'ironie de la situation.

Seigneur, pourquoi fallait-il toujours que Hank soit aussi craquant ? Ses grands yeux bleus brillaient d'un éclat vif qui contrastait somptueusement avec la pâleur de ses sourcils.

— Ah, bon ? s'étonna-t-il en levant un sourcil.

Sam secoua la tête.

— Ce n'est rien, dit-elle. Es-tu prêt à partir ?

Hank inspira profondément, et sembla savourer comme elle venait de le faire l'air de la fin de journée. Leurs avant-bras s'effleurèrent, ce qui ne manqua pas de déclencher aussitôt une averse de frissons brûlants dans tout le bras de Sam.

— Oui, je meurs de faim ! Que dis-tu d'aller chez Lambert ?

Samantha sourit intérieurement. Rien ne pourrait lui plaire plus qu'un dîner chez Lambert. Le restaurant était réputé pour sa cuisine authentique du Sud, et elle ne venait jamais à Orange Beach sans s'accorder au moins un repas dans cette institution locale.

Elle poussa un soupir plein de regrets, mais elle se devait impérativement de suivre son régime à la lettre et, malheureusement, les gombos frits, les haricots pinto, et le sirop de sorgho ne faisaient pas partie des aliments autorisés. Ce soir, il lui fallait un plat de fruits de mer accompagné d'un dessert à base de chocolat.

Car en plus de contenir des nutriments qui stimulaient l'influx nerveux, le chocolat était aussi un organoleptique, c'est-à-dire un aliment dont la texture et le goût sensuels conditionnent l'humeur de celui qui le consomme. Et pour ce qui était de Samantha, inutile de dire qu'elle était déjà largement d'humeur coquine. Cela dit, elle ne pouvait se permettre, même pour un seul repas, de faire un écart et courir le risque de diminuer les effets du régime.

Elle soupira longuement avant de reprendre la parole, sourit et secoua légèrement la tête.

— Euh… A vrai dire, j'espérais plutôt que nous irions chez Captain Jack.

Hank leva un sourcil interrogateur.

— Le bar à huîtres ?

— Exact.

L'air un peu perplexe, Hank acquiesça.

— Bien sûr, nous irons où il te plaira, ma chère.

Ouf ! Il ne semblait pas se souvenir qu'elle était allergique aux fruits de mer. Sam se demanda néanmoins combien de temps il faudrait à sa mémoire pour s'en rappeler. Certes, elle avait déjà inventé une explication toute faite, mais…

Hank se leva brusquement de la balancelle, et du haut de son mètre quatre-vingts, il tendit la main à Sam. Le simple contact de leurs paumes suffit à embraser la peau de Sam, et à faire bouillonner son sang au creux de ses veines.

Ce qui n'était pas bon signe. Sans le régime, cette sensation aurait dû se cantonner à son seul bras, or là, chaque parcelle de son corps était aux abois.

Par exemple, lorsque Jamie l'avait aidée à sortir de la piscine cet après-midi, elle n'avait ressenti qu'une légère décharge électrique au creux de sa main… Rien de comparable à la déferlante d'énergie sexuelle qu'un simple effleurement de Hank suffisait à instiller.

Samantha se refusa à se laisser aller à ce genre de comparaison dangereuse. De toute façon, elle ne pourrait jamais avoir Hank.

Hank était inaccessible.

En revanche, elle *méritait* tout à fait d'avoir un autre homme. Pourquoi pas Jamie, qui était en fait la véritable raison pour laquelle elle avait accepté ce dîner avec Hank. D'ailleurs, elle redoutait la conversation qu'elle allait devoir provoquer avec son vieil ami, sachant pertinemment qu'une fois qu'elle lui aurait détaillé son projet pour les vacances, il allait immanquablement piquer une crise. En revanche, elle n'avait pas l'intention de lui parler du « régime phéromones », persuadée qu'il la prendrait pour une cinglée. Quoi qu'il en soit, leur amitié avait toujours été basée sur l'honnêteté, et Sam pensait que confesser à Hank son Opération Orgasme clarifierait les choses entre eux.

En effet, au vu de ses réactions chaque fois qu'une allusion avait été faite à sa sexualité, Sam estimait qu'une discussion franche était à l'ordre du jour. Que Hank l'ait remarqué ou non, elle était une femme. Et en tant que telle, elle avait certains *besoins*. Que cela lui plaise ou non.

Elle n'était pas du genre à pratiquer la politique de l'autruche. Elle avait investi trop de temps et d'efforts pour arriver à ses fins, et était assez grande pour prendre ses propres décisions. D'une façon ou d'une autre, elle allait débarrasser Hank des œillères qui l'empêchaient de voir la réalité en face.

« Attrapez-moi, dépouillez-moi, mangez-moi toute crue ! »

Pourquoi diable Sam s'était-elle sentie obligée d'acheter cet infâme T-shirt sur la route du restaurant et de l'enfiler dès son arrivée chez Captain Jack, se demanda Hank. Il avait été obligé de contempler sa poitrine affriolante arborant ce slogan, véritable invitation sexuelle, durant toute la durée du repas. Ce qui équivalait à une torture des plus atroces, puisqu'il s'agissait là précisément de toutes les choses qu'il avait envie de lui faire. Des gestes qu'il avait envie d'avoir depuis des années.

Dissimuler son attirance pour Sam avait été une véritable épreuve, mais au fil des années Hank avait appris à se contenir. Même s'il avait parfois l'impression que cette histoire finirait par le rendre fou.

Le problème avec la nouvelle silhouette de femme fatale de Sam et son comportement de séductrice aguicheuse, c'était que Hank ne se sentait plus du tout capable de se contenir comme auparavant. Il n'allait tout de même pas la laisser partir au bras d'un autre homme que lui, qui plus est sous son propre toit ! Cela serait trop insultant…

Mais il avait plus besoin de Sam en tant qu'amie qu'en tant que maîtresse — c'est d'ailleurs pour cela qu'il n'avait pas laissé ce baiser suivre son cours quelques années plus tôt. Hank pouvait séduire toutes les femmes qu'il désirait, mais une amitié sincère était beaucoup plus rare. Il en était pleinement conscient, mais ne pouvait s'empêcher de vouloir être à la fois un ami *et* un amant pour Sam.

Ce qui était hors de question.

Il regarda Sam du coin de l'œil alors qu'elle marchait à son côté en silence, et un drôle de pincement — étrange mais pas déplaisant — lui enserra le cœur. Si seulement les choses pouvaient être différentes. Si seulement son désir pour Sam était réciproque… Il y avait eu un temps où il avait soupçonné que, comme lui, ses sentiments envers lui étaient plus qu'amicaux, mais rien dans l'attitude de Sam ne lui avait permis de confirmer cette intuition. En tout cas, le fait qu'elle débarque à Clearwater avec une valise remplie de préservatifs tendait plutôt à prouver qu'il n'y aurait jamais rien de plus que de l'amitié entre eux.

Il avait pensé qu'avec les années Sam aurait fini par rencontrer un homme avec qui elle aurait fondé une famille. Mais cela n'était jamais arrivé, et Hank s'était demandé si les hommes étaient à ce point aveugles à Aspen pour ne pas remarquer quelle femme brillante Sam était. A moins qu'elle ne fût trop exigeante. Quoi qu'il en soit, une femme comme elle ne restait pas célibataire pendant autant d'années sans raison…

Quant à lui, il savait bien pourquoi il n'avait jamais pu entretenir de relation sérieuse avec une femme. La raison avait un prénom : Samantha. Certes, il pouvait arguer du fait qu'il n'avait pas le temps pour s'investir dans une relation sentimentale, mais la vérité était qu'il ne pouvait se résoudre à faire sa vie avec une femme qui ne serait qu'une remplaçante de celle après qui il soupirait sincèrement. Du coup, il avait préféré collectionner les aventures sans lendemain.

Durant le dîner, ils avaient tranquillement bavardé, parlant de tout et de rien, des films qu'ils avaient vus, de ceux qu'ils aimeraient voir, de ce qui se passait autour d'eux, et des amis qu'ils avaient en commun. Le bar à huîtres le Captain Jack était situé sur une bande de sable à l'est d'Ono Island. Une jetée en planches bordait le rivage. Comme il était environ 19 heures, il ne faisait pas encore tout à fait nuit et l'horizon alternait les lignes violettes et orangées. La musique qui émanait du bar se mêlait au parfum suave et fruité de Sam, et Hank avait eu l'impression que tous ses sens étaient en émoi. Seigneur, elle sentait si bon... Elle était si séduisante, si sensuelle.

Après le repas, ils avaient décidé de marcher un peu au bord de l'eau avant de regagner Clearwater, et Hank en était ravi. Il avait tendu son piège en jouant les patrons surmenés et épuisés, et n'avait plus qu'à attendre que Sam tombe dans le panneau. Certes, ce n'était pas le plan le plus honnête, mais au moins il avait le mérite d'exister.

Il s'était plaint à plusieurs moments pendant le dîner d'être fatigué, de travailler trop, surtout à cause du manque d'effectif à la maison d'hôtes, attendant le moment propice pour lui demander de bien vouloir l'aider. Il détestait profondément le fait de devoir en arriver là, de devoir gâcher les vacances de son amie pour ne pas devenir fou, mais elle ne lui laissait guère le choix.

Lorsqu'ils arrivèrent au bout de la promenade, Samantha ôta ses chaussures et enfouit ses pieds dans le sable.

— Ah..., soupira-t-elle avec un sourire radieux. Si le paradis existe, cela doit ressembler à ça !

Hank lui sourit en retour.

— Un rien te comble, n'est-ce pas ?

76

Le sourire de Sam s'élargit, et Hank ressentit une violente poussée de chaleur lui enserrer l'entrejambe.

— Tu dois me trouver bien pathétique, rit-elle.

— Non, je constate juste que contrairement à beaucoup de gens, tu trouves ton bonheur dans des choses simples.

Elle sembla méditer cette dernière phrase un petit instant, puis le dévisagea bizarrement.

— Tu dois avoir raison, dit-elle comme s'il avait énoncé une prophétie. Et si nous nous trempions les pieds ?

Hank la suivit au bord de l'eau. Une vague vint lécher les chevilles de Sam, et il regarda un profond soupir de volupté se dessiner sur ses lèvres. Le vent jouait avec ses mèches blond vénitien, les balançant d'un côté et de l'autre de son visage. Sam enfonça ses orteils dans le sable mouillé.

— Tu vois, reprit-elle, c'est ce qui me manque le plus quand je suis loin d'ici.

— Comment ? Tu veux dire que je te manque moins que la mer ? s'écria-t-il d'une voix faussement indignée.

Une lueur sombre traversa furtivement les yeux de Sam, mais elle s'empressa de rire.

— Tiens, tiens, j'ignorais que tu avais besoin que l'on flatte ton ego, mon pauvre petit ! gloussa-t-elle, taquine.

— Vas-y, moque-toi de moi si cela te plaît, rétorqua-t-il en s'essayant à un rire peu convaincant. En tout cas, tu sais parfaitement que tu me manques quand tu repars à Aspen.

— Et comment suis-je censée le savoir ? demanda-t-elle en semblant chercher une réponse dans son regard.

— Parce que je te l'ai déjà dit.

Elle eut un petit rire, et enfonça un peu plus ses orteils dans le sable.

— Euh… Non, je ne crois pas, dit-elle d'une voix neutre.

Hank aurait pourtant juré qu'il passait son temps à lui dire à quel point il s'ennuyait dès qu'elle était loin.

— Bon, je ne suis peut-être pas très démonstratif, répondit-il, soudain mal à l'aise. Mais tu ressens ces choses sans avoir besoin que je t'en parle.

Elle rit de nouveau et Hank fut subjugué par la mélodie de son rire cristallin.

Sam ne se rendait donc pas compte à quel point il tenait à elle et à leur amitié ? Si tel était vraiment le cas, il allait devoir rectifier le tir avant qu'elle ne retourne chez elle, dans le Colorado. En fait, il allait même commencer tout de suite.

— Je l'admets, je suis tête en l'air, déclara-t-il en s'efforçant de prendre une voix détachée. A présent, tu le sauras : tu me manques quand tu n'es pas là.

Il glissa ses mains dans ses poches, et balança son pied contre un caillou imaginaire.

— Maintenant que mes parents sont en Alaska, je me sens mieux chez moi quand tu es là, ajouta-t-il.

— C'est gentil. Pour moi, Clearwater est un peu une maison d'adoption, répondit-elle en croisant son regard. Au fait, t'ai-je dit que je prévois de revenir m'installer à Orange Beach ?

Hank sentit son cœur bondir dans sa poitrine.

— Vraiment ? s'exclama-t-il. Et quand ?

Elle se pencha pour ramasser un coquillage qu'elle glissa dans sa poche.

— Dès que j'aurai constitué un apport suffisant pour m'acheter un bout de plage et y construire ma maison. Cela fait déjà quelque temps que j'économise, mais il me manque encore quelques milliers de dollars pour pouvoir demander un emprunt immobilier à la banque. Si jamais je gagnais l'élection de Miss Plage, par exemple, je pourrais revenir m'installer dès cet automne ! ajouta-t-elle avec un sourire pince-sans-rire.

— Cela n'a rien d'impossible, tu sais, remarqua Hank.

Voilà un scénario idéal, se dit-il, transporté par une telle éventualité. Finies les interminables soirées passées seul une fois que l'été touchait à sa fin : Samantha serait là pour les partager avec lui. Et puis, en saison, elle pourrait lui donner un coup de main, elle était parfaitement compétente. Et elle avait plein d'idées. D'ailleurs, c'était elle qui l'avait encouragé à installer un bar et un grill au bord de la piscine. Sam avait un don pour faire en sorte que les gens se sentent chez eux. S'il l'embauchait à Clearwater, elle serait un véritable atout pour son établissement.

Elle se pencha subitement en avant et s'aspergea les jambes d'eau.

— Très drôle, répondit-elle.

— Je t'assure ! insista Hank. Tu es superbe, tu as toutes tes chances !

Visiblement surprise, elle se redressa et émit un petit rire gêné.

— Merci pour le compliment. Cela signifie beaucoup, venant de toi.

Ce dernier commentaire lui fit froncer les sourcils. Il aurait dû se sentir flatté, mais, curieusement, il ne l'était pas.

— Que veux-tu dire exactement par « venant de toi » ?

Elle lui décocha un sourire impénétrable.

— Parce que nous savons tous les deux à quel point j'étais laide autrefois.

— Tu n'as jamais été laide ! protesta-t-il.

Elle lui adressa un regard entendu.

— Je t'en prie, Hank. A d'autres…

Il sentit ses joues s'embraser et enfouit de nouveau ses mains dans ses poches.

— Tu as toujours été… différente, certes, mais laide, jamais !

Pas à ses yeux, en tout cas.

— Je te remercie, c'est une façon très charitable de décrire les choses.

— Je ne suis pas charitable ! insista Hank, à présent agacé. Je suis simplement honnête ; tu n'as jamais été laide.

— Peu importe, de toute façon, cela n'a plus d'importance, à présent que je suis devenue une femme sublime ! dit-elle les yeux pétillants d'espièglerie.

— En effet, répondit-il en se demandant s'il tenait là la perche qu'il attendait depuis le début. Ecoute, en parlant de ça, je voulais te demander une chose…

— Justement, moi aussi, l'interrompit-elle en faisant un petit geste amusé de la main. Mais vas-y, je t'écoute.

Hank fit la moue. Qu'avait-elle donc d'important à lui dire ? Il s'efforça de chasser cette question de son esprit, car pour l'heure il allait avoir besoin de se concentrer et de présenter les choses avec beaucoup de tact, tout en demeurant franc et direct.

Il se gratta nerveusement la nuque, et la regarda une dernière fois dans les yeux avant de se jeter à l'eau.

— Ecoute, Sam, je ne sais pas si tu t'en es rendu compte, mais… il semblerait qu'en ce moment tu dégages une sorte de… vibration.

Bien sûr, il savait parfaitement qu'elle en était consciente, mais il fallait bien commencer quelque part. Il crut d'ailleurs détecter un léger tremblement de sa lèvre inférieure avant qu'elle ne se la morde en clignant des yeux d'un air innocent.

— Vraiment ? Et quel genre de… vibration ?

— Une vibration qui dirait quelque chose comme : « Venez me peloter ! », avoua-t-il, de plus en plus agacé.

— Super ! s'exclama Sam en reprenant son équilibre sur ses talons. C'est exactement le message que je m'efforce d'envoyer.

Hank ne manqua pas de noter que le petit sourire lubrique qu'il avait remarqué plus tôt venait juste de s'intensifier sur les lèvres pulpeuses de Sam.

Il inspira profondément en essayant de ne pas perdre son calme. A présent, il avait confirmation de ses soupçons : la jeune femme était à la recherche d'un amant — et il n'était pas sur les rangs !

— Qu'entends-tu exactement par « super » ?

— Eh bien, je veux dire que c'est super, tout simplement !

— Et pourquoi est-ce super ? demanda Hank, s'efforçant de ne pas grincer des dents.

Sam le regarda de travers.

— Je pensais que les préservatifs dans ma valise t'auraient donné une idée.

— Très drôle, répliqua Hank d'une voix tendue.

— Bon, eh bien, c'est super, expliqua-t-elle patiemment, parce que c'est précisément le genre de vibration que je souhaite envoyer pour obtenir ce que je cherche.

Une sorte de bruit sourd se mit à tambouriner contre les tempes de Hank.

— Et que cherches-tu exactement ?

Il connaissait parfaitement la réponse, mais tenait absolument à entendre les mots sortir de sa bouche.

— Cela ne va pas te plaire, Hank. Mais je suis heureuse que tu me poses la question, dit-elle tandis que ses pupilles se rétrécissaient. Comme cela, une fois que les choses seront claires, tu pourras arrêter ton petit manège.

— Je t'écoute.

Sam eut un léger haussement d'épaules, et une lueur coquine traversa son regard.

— Si tu insistes… Eh bien, voilà, ce que je recherche par-dessus tout, c'est un orgasme.

6.

Hank déglutit. Péniblement. A plusieurs reprises.

— Un orgasme ? répéta-t-il en fermant les yeux, comme s'il refusait de croire à ce qu'il venait d'entendre. C'était donc de cela que tu voulais me parler ?

— En partie, oui, murmura Sam en inclinant la tête.

— Comment ça ?

Sam hésita un instant. Elle arrivait à présent au passage difficile. Elle s'était pourtant bien préparée à le vilipender au sujet du comportement qu'il avait eu cet après-midi à la piscine, mais, au gré du dîner, son courroux s'était progressivement apaisé… et avait fini par s'évanouir totalement au moment où Hank lui avait affirmé qu'elle avait toutes ses chances de gagner l'élection de Miss Plage.

A son tour, elle avala difficilement sa salive. Personne ne lui avait jamais dit qu'elle était jolie ou séduisante. Pas même ses parents. Elle avait plutôt l'habitude d'être quali-fiée de « gentille fille », ou d'« adorable petite fille », et jamais les mots « jolie », ni même « mignonne » n'avaient été employés à son égard.

Or, voilà que Hank — dont l'opinion comptait à ses yeux plus que celle de quiconque — lui déclarait de la façon la plus simple au monde qu'elle était *superbe*. Comme si cela était normal. En entendant ce mot, le cœur de Sam avait failli s'arrêter, elle avait senti sa poitrine se crisper jusqu'à ne plus pouvoir respirer. Bien sûr, sur le moment elle n'avait rien laissé paraître.

En tout cas, après avoir cru que confesser son inexpérience sexuelle à Hank serait hautement embarrassant, Sam ressentait à présent une sorte de soulagement. Certes, elle s'était bien confiée à quelques amis, chez elle à Aspen, mais Hank demeurait la personne dont elle se sentait le plus proche. Et parler avec lui de son absence de vie sexuelle lui avait finalement paru facile, naturel. Après tout, il avait toujours partagé avec elle les détails de sa propre vie — ce qui d'ailleurs relevait du supplice pour elle.

Si Hank n'acceptait pas l'idée qu'elle fasse l'amour avec un homme ou ait un orgasme, c'était sans doute parce qu'il la considérait comme sa petite sœur. Eh bien, dorénavant il allait devoir apprendre à la considérer comme une femme à part entière. Après tout, c'était aussi cela être un ami. Depuis toujours elle s'était montrée disponible et à l'écoute pour lui, il lui devait bien la pareille à présent.

Samantha tenta de réguler sa respiration affolée et enfonça machinalement ses orteils sous le sable.

— Ecoute, Hank… Si tu tiens à tout savoir… Je n'ai jamais connu l'orgasme. Et à présent, j'ai très envie d'expérimenter la chose. A mon âge, il serait temps, non ?

L'air aussi abasourdi que mal à l'aise, Hank se racla la gorge.

— Tu veux dire que tu n'as *jamais*, euh… jamais…

— … couché avec un homme ? termina Sam.

A ces mots, il devint livide.

— Eh bien, si, poursuivit-elle. Si tu veux tout savoir, j'ai déjà couché avec un homme. Une fois, il y a longtemps.

— Mais tu ne m'as jamais mentionné… Enfin, tu ne m'en as jamais parlé ! balbutia Hank en écarquillant les yeux.

Sam sentit un sourire se dessiner sur ses lèvres. Elle leva les yeux au ciel avant de répondre :

— Crois-moi, cela ne valait la peine d'être mentionné en aucune façon. C'était une expérience assez médiocre. Je mérite mieux que ça. Et j'ai la ferme intention de remédier à la situation. Dès cette semaine, précisa-t-elle en croisant ses bras qui commençaient à la démanger. Mais je ne pourrai atteindre mon but si tu continues à effrayer tous les hommes que je croise !

Avant de continuer, Sam posa une main sur le bras de Hank et s'éclaircit la voix.

— Ecoute, Hank, je sais que tu ne cherches qu'à veiller sur moi — c'est ce que tu as toujours fait, et je t'en suis reconnaissante — mais je suis une grande fille à présent. J'ai dû faire des efforts considérables pour améliorer mon apparence et me rendre… désirable, dit-elle en poussa un léger soupir. Crois-moi, cela n'a pas été facile. Mais il semble qu'aujourd'hui mes efforts soient récompensés : cet après-midi j'ai pu m'entourer d'un certain nombre de jeunes hommes charmants… Jusqu'à ce que tu débarques et fiches mon plan par terre. Hank, je te le demande en tant qu'amie de longue date : cesse de jouer à cette petite guérilla avec les hommes qui m'approchent. Je n'ai pas le temps de tergiverser avec toi, et puis, je sais ce que je fais.

Hank secoua la tête, l'air sinistre.

— Je ne crois pas, non.

— Pour commencer, je ne me souviens pas t'avoir demandé ton opinion, répliqua-t-elle irritée. De plus, c'est à moi de prendre *mes* décisions !

Hank poussa un soupir de frustration et agita ses bras d'un air désemparé, ce qui effraya un groupe de mouettes qui s'envolèrent non loin d'eux.

— Si je comprends bien, tu comptes choisir un type au hasard et coucher avec lui, juste comme ça ?

— Exactement, acquiesça-t-elle.

— Eh bien, c'est irresponsable.

Persuadée d'avoir mal entendu, Sam cligna des paupières.

— Je te demande pardon ?

— Sam, je n'ai aucune envie de te ramasser à la petite cuillère après ton « expérience ».

— Mais quel est ton problème, au juste ? demanda-t-elle en perdant patience. Ne te vantes-tu pas de faire précisément la même chose, quand tu as envie d'une aventure d'un soir ?

Il ouvrit la bouche pour répliquer, mais aucun son n'en sortit. Finalement après un instant il bredouilla :

— Eh bien… Je… En fait…

— Tu cherches une inconnue que tu décides de séduire, insista Samantha. Pourquoi ne pourrais-je pas en faire de même ? Pourquoi serais-je irresponsable de faire la même chose que toi ?

Soupirant d'agacement, Hank se mit à faire les cent pas devant elle, sur le sable.

— Parce que moi, c'est moi ; et toi, c'est toi, et… et… ce n'est pas prudent, voilà tout.

— C'est justement pour cela que j'ai prévu des préservatifs, argumenta-t-elle en hochant la tête.

Il s'arrêta de marcher et la fixa du regard. La vive lumière orangée du couchant éclairait Hank en contre-jour, lui donnant une allure de Poséidon irrésistible.

— Là n'est pas la question ! ajouta-t-il. Bon sang, cela reste... pas prudent !

De nouveau, elle croisa les bras et leva les yeux au ciel.

— Peut-être, mais être une Vierge de l'Orgasme à vingt-six ans n'a rien d'une sinécure, Hank, rends-toi compte ! Comment... Comment te faire comprendre ? implora-t-elle.

Il se gratta la nuque et déglutit péniblement.

— Ce n'est pas que je ne comprends pas. Franchement, on peut voir à des kilomètres à la ronde que tu es en chasse, tout émoustillée, dit-il en la regardant d'un air peiné avant de pousser un profond soupir. Mais il existe d'autres façons de remédier à sa frustration sexuelle que de prendre un amant.

Il tentait désespérément de la dissuader.

Samantha leva un sourcil perplexe à ces derniers mots.

— Si tu es en train de me suggérer d'avoir recours à la masturbation, ne te fatigue pas ! Ce n'est pas de cela que j'ai besoin, mais d'un *homme*. Et d'un orgasme, que diable !

Sam crut alors entendre grincer les dents de Hank.

— Si tu y tiens...

— Malheureusement, je n'y arriverai jamais si tu continues à saboter mes plans. Je te demande donc de ne plus t'ingérer ainsi dans ma vie, Hank. Compris ?

Il finit par acquiescer :

— Bon, si je comprends bien, cela signifie que tu vas passer le reste de la semaine à te mettre en quête d'un amant ? Et que tu n'auras plus de temps à m'accorder ?

Samantha secoua la tête et fit une petite moue alors qu'une pointe de regret lui enserrait le cœur.

— Pas autant que je ne t'en accorde habituellement, certes. Mais j'ai besoin de cela, Hank. J'ai envie de connaître, ne serait-ce qu'une fois, le septième ciel. Tu sais, j'ai vraiment eu une première expérience déplorable. Est-ce un crime que d'aspirer à expérimenter une vraie bonne partie de jambes en l'air avec un amant digne de ce nom ?

— Non, bien sûr, je comprends ce que tu veux dire, répondit-il d'une voix sèche. Mais pourquoi tiens-tu autant à mener ton « expérience » ici, et maintenant ? Moi je crois que tu ne me dis pas tout ; il y a autre chose, n'est-ce pas ?

— Pas du tout ! mentit-elle alors qu'un frisson de culpabilité lui parcourait la nuque.

Pourquoi fallait-il qu'il soit toujours aussi perspicace ? Seigneur, il la connaissait par cœur ! S'il avait déjà autant de mal à accepter qu'elle se cherche un amant, il allait être littéralement horrifié de découvrir les extrémités auxquelles elle en était arrivée pour mener son projet à bien. Pas question dans de telles conditions de lui parler du « régime phéromones ». Hank aurait pu en faire une attaque.

En attendant, il continuait de la dévisager de façon appuyée. Trop appuyée.

— De plus, reprit-il, comment espères-tu te préparer à l'élection de Miss Plage — que tu peux gagner, j'en suis persuadé — si tu passes ton temps à arpenter la plage à la recherche d'un gigolo ?

Samantha dut se mordre la langue pour ne pas proférer d'injures face aux propos outranciers de son ami.

— Tu sais, j'ai réellement envie de gagner cet argent et de revenir vivre ici, insista-t-elle. Mais j'ai encore le temps de me préparer à ce concours. Franchement, Hank, tout ce que j'ai à faire, c'est de préparer un poulet frit… Pas besoin d'avoir fait dix années d'études pour être au niveau !

— Tss… tss… Si c'est ce que tu penses…, marmonna-t-il d'une voix sceptique.

Elle décida alors qu'il était temps de changer de sujet.

— Et toi, qu'avais-tu à me demander ?

Hank leva les yeux vers elle sans comprendre.

— Tout à l'heure, précisa-t-elle, tu m'as dit que tu voulais me demander quelque chose. De quoi s'agit-il ?

Elle vit ses sourcils blond clair se froncer contre son front hâlé, puis il murmura :

— Ah, oui… *Ça* !

— Ça quoi ?

— Oublie donc, dit-il en secouant la tête. Ce n'est plus d'actualité à présent.

— Qu'est-ce qui n'est plus d'actualité ? demanda-t-elle intriguée.

— Vraiment, oublie ça, insista-t-il. Je ne peux plus te demander une telle chose à présent.

En prononçant ces mots, il secoua la tête et un sourire blasé se dessina au coin de ses lèvres.

— Me demander quoi ?

— Je t'assure, Sam, n'y pense plus, grommela-t-il avec un petit rire triste. Tu n'auras pas le temps de toute façon.

— Pour l'amour du ciel, Hank ! souffla-t-elle, exaspérée par autant de mystère. Je n'aurais pas le temps de quoi faire ?

— De m'aider, lâcha-t-il avec un regard penaud.

— De t'aider ? répéta-t-elle en fronçant les sourcils. Mais de t'aider à quoi ?

— A faire tourner la maison d'hôtes, soupira-t-il d'une voix lasse en se passant une main dans les cheveux. Nous avons une affluence record ces jours-ci et tu as pu constater par toi-même à quel point Tina est incapable de gérer la réception et les réservations. Je suis débordé et à moins de me trouver un clone, je n'arriverai pas à m'en sortir sans aide supplémentaire. Mais comme je te le disais, oublie ça, je vais trouver une autre solution.

Voilà donc pourquoi il avait passé la soirée à se plaindre d'être surmené et de manquer de personnel ! Il lui avait fait un appel du pied, espérant qu'elle lui propose son aide, mais elle était tellement obnubilée par sa quête du Saint Orgasme qu'elle n'avait rien vu venir.

Elle scruta un moment son visage abattu, et même si elle était persuadée qu'il en rajoutait un peu afin de l'attendrir et de la convaincre de l'aider, les cernes qui creusaient son regard, et les deux rides de fatigue qui encadraient sa bouche n'étaient pas feints. Et puis, le connaissant, elle savait pertinemment que Hank n'aurait jamais fait appel à elle s'il n'avait pas été réellement dans le besoin. En son âme et conscience, elle ne pouvait pas refuser un tel service à un ami aussi proche.

— Je t'aiderai, dit-elle d'une voix pondérée.

Machinalement, elle se mordilla la lèvre inférieure. En fait, plutôt que de perdre trop de temps à la recherche d'un amant, elle pourrait peut-être se reporter sur le seul homme que Hank n'avait pas réussi à faire fuir cet après-midi : Jamie. Puisqu'il était en tête de sa liste d'amants potentiels, Sam n'aurait qu'à passer le temps qu'elle aurait normalement passé à se chercher un partenaire à donner un coup de main à Hank. Elle tenait là l'homme qui lui offrirait l'orgasme dont elle rêvait, et de son côté Hank obtiendrait l'aide dont il avait besoin. Tout le monde y trouverait son compte.

Hank se mit à sourire bizarrement, même si des traces de son irritation subsistaient encore çà et là sur son visage.

— Vraiment ? Cela ne risque-t-il pas de mordre sur le temps que tu avais prévu pour ta chasse aux amants ? demanda-t-il en haussant un sourcil sarcastique.

Samantha se frotta le menton, sûre de sa décision.

— En fait, non.

— Non ? répéta-t-il, visiblement confus.

— Je ne suis plus en chasse…

Hank poussa un soupir de soulagement.

— Dieu merci, je savais que tu finirais par recouvrer la rais…

— … car j'ai déjà trouvé ma proie !

Hank tourna brusquement la tête vers elle.

— Quoi ? Qui ? Et quand ? demanda-t-il en fronçant un peu plus les sourcils à chaque question.

Sam tourna les talons et se mit à marcher en direction de la jetée. Un petit crabe des sables fila entre ses pieds.

— Je dois y aller, j'ai un rendez-vous, dit-elle en poursuivant son chemin et en ignorant toutes ses questions. Tu n'as qu'à m'expliquer ce que tu as besoin que je fasse pour t'épauler sur le chemin de Clearwater.

— Quoi ?

A présent que son plan était au point, Sam n'avait plus qu'à passer à l'action. Elle épousseta le sable accroché à ses pieds et remit ses sandales. Finalement, le fait que Hank lui demande son aide avait un peu précipité les choses, mais au moins elle ne gâcherait pas une trop longue partie de sa semaine à s'interroger sur le choix de « l'heureux élu ».

— J'ai rendez-vous pour prendre un verre avec quelqu'un, et je ne veux pas être en retard, répéta-t-elle.

Elle ne tenait pas à se coucher trop tard, d'autant que Hank lui réservait probablement une journée chargée dès le lendemain. Peu importait, du moment qu'elle avait ses nuits de libres... A cette idée, un frisson lui parcourut le dos.

— Avec qui ? demanda-t-il d'un ton à la limite de la civilité. Avec qui vas-tu prendre un verre si tard ?

— Avec Jamie, répondit-elle en le fixant droit dans les yeux, tout en s'efforçant d'ignorer la brûlure que son regard imprimait en elle. Et j'ai rendez-vous *seule*, au cas où tu n'aurais pas compris. Ce qui signifie que tu n'es pas invité, Hank. Je compte sur toi pour nous laisser tranquilles.

— Mais...

— Il n'y a pas de mais ! Cette semaine, je mets un homme dans mon lit, marmonna-t-elle. Que cela te plaise ou non.

A en juger par le regard de Hank, elle comprit qu'il n'admettait toujours pas cette idée.

Quelques heures plus tard, Hank faisait les cent pas dans sa chambre en attendant le retour de Samantha. Dès qu'elle serait rentrée, il avait bien l'intention d'aller mettre une raclée à ce satané Jamie. Sa mâchoire était douloureuse tellement il était crispé. Manifestement, il n'avait pas été suffisamment explicite lorsqu'il avait dit à son soi-disant ami qu'il ne devait pas toucher à Samantha. Puisque la communication verbale avait échoué, il allait être contraint de recourir à une forme de communication plus physique, afin de s'assurer que cette fois Jamie comprenait bien le sens de son propos.

Il consulta le réveil, et son sang se mit à bouillir dans ses veines. Voilà deux heures que Sam était partie.

Deux heures.

Tout un tas d'événements pouvaient arriver en cent vingt minutes. Il était parvenu à ne pas céder à sa pulsion d'aller espionner Sam et Jamie au bar. Samantha ne lui pardonnerait jamais s'il s'ingérait de nouveau de façon trop visible entre elle et un homme. Il avait beau le savoir... un curieux instinct le poussait à intervenir.

Il s'affala sur le canapé en poussant un profond soupir de lassitude. Lorsque Sam lui avait annoncé qu'elle désirait connaître l'orgasme, il avait senti le sol se dérober sous ses pieds. Certes, dès l'instant où il avait découvert son armada de préservatifs, il avait compris quelles étaient les intentions de son amie. Mais de là à se préparer à ce qu'elle lui annonce, de but en blanc, qu'elle désirait s'envoyer au septième ciel avec le premier venu...

Pire encore, lorsque Sam lui avait parlé du nullard à qui elle avait offert sa virginité, et qui n'avait même pas été capable de lui donner une once de plaisir, Hank avait été saisi d'une envie irrépressible de :

1) rectifier cette odieuse injustice sur-le-champ, en commençant par poser sa langue en quelques endroits stratégiques du corps de déesse de Sam ;

2) retrouver ce petit vaurien et lui casser la figure.

Malheureusement, aucune de ces deux options pourtant tentantes n'étaient sérieusement envisageables. Voilà pourquoi, depuis que Sam s'était confiée à lui, il était aussi ahuri, contrarié et furieux qu'un homme puisse l'être.

Et tandis qu'il faisait les cent pas entre le canapé et la porte de la chambre, il comprit qu'il avait commis une énorme erreur, des années auparavant, lorsqu'il avait eu l'occasion d'embrasser Sam. Il aurait dû céder à la tentation quand elle s'était manifestée à lui, sur ce ferry. Ou mieux encore, il aurait dû provoquer un second baiser durant cet été-là, et aller jusqu'au bout cette fois. S'il avait osé, rien de tout ceci ne serait en train d'arriver. Sam n'aurait jamais abandonné sa virginité à un nullard mal inspiré, et il se serait lui-même chargé de son initiation aux joies du sexe, en s'assurant qu'elle soit pleinement satisfaite. En fait, il se rendait compte à présent qu'il aurait volontiers passé le restant de ses jours à lui offrir autant d'orgasmes qu'elle pouvait en recevoir.

Malgré le malaise qu'il avait éprouvé lorsque Sam lui avait avoué son désir d'orgasme, il n'avait pas manqué de relever l'ironie de la situation.

Durant tout le temps où elle s'était tenue devant lui, à lui expliquer à quel point elle était désespérée de connaître un jour l'orgasme, il s'était senti à l'étroit au creux de son pantalon, brûlant d'envie de l'allonger, là sur le sable, et d'exaucer sur-le-champ son vœu le plus cher. Avec ses mains, sa langue, son sexe, il lui donnerait ce plaisir ultime auquel elle aspirait tant. Il désirait tellement être celui qui la conduirait sur le chemin de l'extase. L'idée que qui que ce soit d'autre la touche, qu'un inconnu lui procure cet orgasme dont elle rêvait tant lui était insupportable.

Il voulait être celui qui lui donnerait *tout*, la comblerait.

L'espace d'un bref instant, il avait même envisagé de lui proposer ses services. Il était tellement dévoré par son attirance pour elle qu'il avait failli craquer, et mettre ainsi leur amitié en danger.

Mais la retenue qu'il avait pratiquée depuis de nombreuses années lui avait finalement permis de ne pas lui avouer ses sentiments.

Or à présent, il le regrettait amèrement. Jamais il n'avait autant désiré une femme que Samantha. Jamais il n'avait ressenti cette moiteur au creux de ses paumes, ni cette onde de chaleur qui lui parcourait l'abdomen à sa seule présence. Jamais il n'avait eu à subir les affres d'une érection quasi-perpétuelle. Depuis qu'il avait aperçu la nouvelle Samantha — de dos, qui plus est — à la réception, le jour de son arrivée, il était dans un état d'excitation permanente.

Physiquement, il endurait un véritable calvaire, mais émotionnellement il était chamboulé : il était devenu incapable de poser les yeux sur Sam sans être dévoré par l'envie irrépressible de prendre son visage entre ses mains et l'embrasser… et pas seulement sur la bouche. Il lui suffisait de croiser son regard pour avoir envie de lui faire l'amour passionnément, éperdument.

Même si la simple idée de poser ses lèvres sur les siennes le faisait paniquer.

Il avait beau se convaincre que cela venait du fait qu'il craignait de gâcher leur amitié, il savait qu'il y avait aussi une autre raison à cela, une raison enfouie dans un troublant océan d'émotion qu'il préférait ne pas explorer.

Il soupira, consulta une nouvelle fois le réveil et sentit la peau de son crâne se raidir. Sa gorge se noua d'appréhension, et son œil gauche fut agité par un tic. Comment avait-il pu laisser les choses en arriver là ? Ce n'était plus tenable, il devait absolument mettre un terme à cette situation.

Et vite.

La seule façon d'y arriver serait de faire en sorte que Samantha et lui se retrouvent avec un objectif commun… Pour commencer, il allait devoir l'empêcher de se mettre en quête d'un amant. La seule façon serait qu'il lui donne un orgasme.

Et il se sentait bien décidé à se « dévouer ». Non sans appréhension, bien sûr. Car avouer ses sentiments à Sam allait définitivement altérer leur relation, mais il ne pouvait se résoudre à la laisser coucher avec un autre homme que lui. Si quelqu'un devait accéder au septième ciel dans ses bras, ce serait lui. Et personne d'autre. Après tout, aucun autre homme ne pouvait prétendre la désirer depuis si longtemps !

Qu'elle le sache ou non, Sam était faite pour lui. Depuis toujours. Et il avait hâte à présent de l'en convaincre…

Mais tout d'abord, il devait préparer le terrain, c'est-à-dire commencer par avoir une petite conversation avec Jamie.

7

« Seigneur, quelle pagaille ! » pensait Sam. Elle avait travaillé sur le système de réservation de Hank pendant la majeure partie de la journée mais, jusqu'à présent, elle avait avancé à pas de fourmi. Son ami n'avait pas exagéré la situation lorsqu'il lui avait dit que Tina avait tout déréglé.

Elle étouffa un grognement. Si elle voulait tout remettre en ordre, elle en aurait pour la semaine entière ! Ce qui était sans aucun doute ce qu'espérait Hank. Elle avait pu constater qu'il était épuisé et que Tina était complètement incompétente, mais il était évident que son ami d'enfance avait tout fait pour l'occuper et l'empêcher de mener à bien son Opération Orgasme. Il s'était bien excusé à une ou deux reprises aujourd'hui pour la charge de travail qu'il lui imposait, mais elle n'avait pas manqué de relever un petit sourire en coin à peine perceptible qui trahissait la satisfaction de Hank de la tenir éloignée de tout amant potentiel…

Lorsqu'elle avait regagné leur chambre la veille au soir, Hank n'était pas encore couché, et vu l'expression d'énervement qu'elle avait lue sur son visage, il semblait loin de se réjouir du fait qu'elle venait de passer plusieurs heures en compagnie de Jamie. A l'instant où elle avait franchi la porte, il avait levé furtivement les yeux vers elle, retroussé son nez d'une drôle de façon, et quitté la pièce sans un mot.

Elle l'avait entendu rentrer environ une heure plus tard et avait fait semblant de dormir. Ils s'étaient suffisamment disputés pour la journée, et elle ne se sentait pas d'humeur à exposer une fois encore ses arguments. Maintenant qu'elle avait été franche — enfin, presque entièrement — avec lui, elle comptait bien vivre sa vie comme bon lui semblait. Et Hank allait devoir faire avec.

Elle avait passé un excellent moment avec Jamie. C'était un homme avec un vrai sens de l'humour et beaucoup d'esprit. Bien qu'il ne lui ait pas fait d'avances explicites, Sam avait senti, à sa plus grande joie, qu'elle l'intéressait. Il s'attendait probablement à ce qu'elle fasse le premier pas, mais bien que l'envie ne lui en manque pas, Samantha s'était surprise à hésiter.

Ce satané Hank avait réussi à la faire douter ! Car, si Jamie était sympathique et canon, elle ne ressentait aucun tiraillement dans le bas-ventre lorsqu'ils se trouvaient dans la même pièce et elle ne sentait pas la chair de poule l'envahir rien qu'à imaginer la manière dont il l'embrasserait.

En réalité, ces sentiments ne s'appliquaient qu'à Hank. Et à aucun autre homme.

Cela dit, lorsque Jamie l'avait raccompagnée devant sa chambre et qu'il avait déposé un baiser furtif sur sa joue, elle avait ressenti un frisson sur la nuque. Jamie avait une jolie bouche, bien charnue. Peut-être qu'en augmentant encore les proportions du « régime phéromones », elle arriverait à attiser le désir, de son côté comme de celui de Jamie.

Car, de toute façon, elle sentait bien qu'elle aurait beau chercher un autre amant potentiel, affiner ses critères, cela ne ferait guère de différence. Celui qu'elle désirait *vraiment*, c'était Hank. Mais faute de pouvoir le posséder, elle allait devoir se contenter de quelqu'un d'autre.

A cette idée, elle pinça les lèvres. Si un homme aussi séduisant et sexy que Jamie ne parvenait pas à la rendre folle de désir, il n'y aurait aucune chance qu'un autre homme y parvienne !

La nuit dernière, allongée dans le noir, elle avait écouté Hank enlever ses vêtements un à un, jusqu'à son boxer, puis l'avait entendu pousser un long soupir avant de s'installer sur le canapé. Peut-être se faisait-elle des idées, mais elle avait eu l'étrange impression que Hank avait délibérément pris son temps pour se déshabiller, comme s'il avait voulu entamer un strip-tease...

En tout cas, l'écouter ainsi se déshabiller près d'elle avait constitué une expérience érotique et excitante qu'elle n'avait jamais connue auparavant. Elle avait ressenti le poids de toutes ses années de frustration tandis qu'une irrépressible onde de désir s'était emparée d'elle, résonnant violemment dans chaque cellule de son corps. La pointe de ses seins s'était durcie d'envie, tandis que sa respiration s'était faite haletante. Son excitation avait été attisée par les images du corps divinement proportionné de Hank, qu'elle connaissait par cœur pour l'avoir vu à maintes occasions durant leurs années d'amitié. Dans le noir, alors qu'il se dévêtait près d'elle, elle n'avait eu aucune peine à imaginer ses épaules larges et si sécurisantes, ainsi que sa peau soyeuse et hâlée qui recouvrait des muscles étourdissants. Sans parler de la délicate toison blonde qui descendait en un triangle inversé sur son torse et ses impressionnants abdominaux en tablette de chocolat, pour finir sous la ceinture. Elle imaginait aussi sans peine ses jambes svelte et ses cuisses musclées. Ses yeux bleu azur aux longs cils ni ce demi-sourire ô combien sexy qui éclairait en permanence son visage.

Cela avait été un moment de folle excitation mais également de frustration extrême. Une fois Hank couché, elle avait passé un long moment à se tourner et se retourner dans son lit, pour finir par fixer le plafond, incapable de trouver le sommeil, inspirant à pleins poumons l'odeur de Hank qui flottait encore dans les draps de son lit. Cette fragrance iodée lui rappelait le bord de mer et cela lui permit de se détendre un peu.

Elle avait passé sa matinée penchée sur son satané ordinateur, et n'avait pas eu une seule minute pour aller fouler le sable. Elle avait commandé un plat de calamars en cuisine, et était repassée par sa chambre pour prendre ses cachets d'antihistaminiques. Hank était rentré dans la chambre à l'instant même où elle mettait le cachet dans sa bouche, et elle avait failli s'étouffer. Il avait levé un sourcil interrogateur, et elle avait prétendu avoir un simple petit mal de tête. Hank avait paru se contenter de cette explication, même s'il avait continué un bref instant à la dévisager d'un air suspicieux.

Sans doute n'y aurait-il prêté aucune attention si elle ne s'était pas sentie surprise la main dans le sac. D'autant qu'il se doutait déjà qu'elle lui cachait quelque chose en dehors de sa quête effrénée d'un amant. Or la dernière des choses dont elle avait besoin était de lui mettre la puce à l'oreille.

Samantha termina son opération de sauvegarde sur l'ordinateur, éteignit le programme et se leva. Comme promis, Hank avait fait venir tous les ingrédients nécessaires à la préparation du poulet frit, afin qu'elle puisse s'entraîner en cuisine le soir même, après la fin du repas.

Elle consulta sa montre : dans quinze minutes, elle devait retrouver Jamie ; le jeune homme lui avait proposé de faire du jet-ski en sa compagnie. Cela lui laissait à peine le temps de manger quelques poignées de pignons grillés au miel — ingrédient primordial dans le « régime phéromones », même si elle n'avait pas faim — et de se rafraîchir. Sans doute Hank en serait irrité, mais après tout cela ne le regardait pas. A force d'être restée assise toute la journée devant l'ordinateur, elle avait les muscles tout engourdis. Une balade en jet-ski à travers le golfe serait idéale pour ses courbatures.

Elle resta plus longtemps que prévu dans sa chambre, prit le temps d'attacher ses cheveux en queue-de-cheval afin qu'ils ne la gênent pas lorsqu'elle serait face au vent sur le jet-ski. Elle changea de vêtements, se badigeonna d'écran solaire et appliqua du rouge à lèvres. Puis elle descendit dans le hall.

Jamie l'attendait déjà, un sourire avenant aux lèvres.

— Tu es prête ?

— Prête pour quoi ? demanda une voix derrière eux qui la fit sursauter.

Elle se retourna et aperçut Hank, debout devant le bureau de la réception. Elle lui sourit en relevant le menton.

— Jamie et moi allons faire une balade en jet-ski.

Tout en faisant le tour du bureau pour se rapprocher d'eux, Hank adressa un regard assassin à Jamie.

— Ah ? J'en conclus que tu as fini par venir à bout du système de réservation alors ? lui demanda-t-il, l'air innocent.

Trop innocent.

Un frisson d'agacement parcourut l'échine de Sam. Elle avait accepté de lui donner un coup de main, mais dans la mesure où elle n'était pas une employée rémunérée pour ce travail, elle n'appréciait guère le sous-entendu récriminant que contenait le ton de Hank.

— Non, pas tout à fait.

— Je vois, répondit-il d'un air narquois.

Sam eut envie de le gifler.

— Non, je ne crois pas, répliqua-t-elle d'une voix étranglée. Hank, il va me falloir la semaine entière avant de « nettoyer » complètement ton logiciel. Je te l'ai expliqué, tu te souviens ? Et ce n'est d'ailleurs pas la seule chose que je t'ai expliquée, si tu vois ce que je veux dire ? Bon, eh bien, à plus tard !

— Quand seras-tu de retour ? demanda-t-il en soupirant et en se frottant la nuque.

Les pupilles de Sam rétrécirent et elle releva la tête.

— Je reviendrai quand je reviendrai, *papa* !

— Elle reviendra à temps pour s'entraîner au concours de poulet frit, si c'est cela qui t'inquiète, ajouta Jamie avec un gloussement.

Le visage de Hank s'assombrit.

Perplexe, Samantha fronça les sourcils. Comment Jamie était-il au courant de ce projet ? Elle ne lui en avait pourtant pas parlé. Elle dévisagea tour à tour les deux hommes et se rappela alors qu'ils étaient *amis*. Et comme tous les amis, ils devaient *parler* entre eux. Elle supposa qu'ils s'étaient déjà croisés ce matin et avaient bavardé de leurs projets respectifs pour la journée.

— Ce n'est pas moi qui devrais m'inquiéter, poursuivit Hank d'une voix cordiale mais légèrement crispée.

— Détends-toi, Hank, répondit Jamie. Je te promets que je prendrai bien soin de Sam.

Samantha décocha un dernier sourire à Hank tandis que Jamie la conduisait à la porte d'entrée. Hank les regardait s'éloigner, l'air furieux, contrarié… et vulnérable.

21 h 15. Hank vérifia le cadran de l'horloge et son sang ne fit qu'un tour. Sam aurait dû être rentrée depuis un quart d'heure. Il avait passé l'après-midi entier à tourner en rond, bouillonnant de colère en tentant d'imaginer ce qu'elle et Jamie pouvaient bien faire. Jamie allait regretter de l'avoir mis au défi ! se jura Hank avec un petit rire nerveux.

La veille au soir, quand Samantha avait fini par rentrer, il était aussitôt allé le voir afin de lui expliquer la situation.

Pour la deuxième fois.

« Sam n'est pas un jouet, encore moins une maîtresse potentielle. Sam m'appartient. Si tu la touches, je te tue », avait-il martelé à son ami.

Il n'aurait pas pu être plus clair. Et pourtant, voilà qu'il se retrouvait seul, assis dans sa cuisine à ruminer devant un nécessaire à friture !

Jamie lui avait parlé de la balade en jet-ski, ce n'était donc pas une surprise, mais il s'était dit que Sam, trop absorbée par la réparation du système informatique de réservation, se serait désistée. Or, il n'en avait rien été. Apparemment, sa quête de l'orgasme passait avant l'aide informatique qu'il lui avait demandée ! Elle qui, habituellement, était si méticuleuse — un trait de caractère qu'il avait toujours admiré chez elle — avait changé d'attitude.

Heureusement, il avait réussi à la tenir occupée par la mise à jour du système de réservation, mais il ne s'imaginait pas qu'elle resterait dupe encore bien longtemps. Car, même s'il était loin d'en être fier, il s'était introduit dans le bureau cet après-midi en son absence et avait annulé toutes les opérations de mise à jour qu'elle avait faites.

De toute façon, à partir de ce soir, il prévoyait de devenir son amant, et de lui offrir cet orgasme dont elle rêvait tant. Il avait du mal à croire que toutes ces années de retenue l'avaient finalement conduit à cette conclusion, mais c'était pourtant bien le cas. Il se sentait prêt à risquer leur amitié et à être rejeté. Car, après tout, il se pouvait tout à fait que Sam l'envoie au diable. Il ne pensait pas que ce serait le cas, vu qu'il avait la ferme intention de lui donner exactement ce à quoi elle aspirait. Mais comment en être sûr ?

En tout cas, il ne supportait pas l'idée qu'elle accorde ses faveurs à quelqu'un d'autre que lui. Cela ne se pouvait pas. Point final.

La nuit dernière, lorsqu'il était revenu après sa petite conversation avec Jamie, Sam était endormie. Le simple fait de la savoir là, dans *son lit*, dans ses draps, l'avait rendu fou de désir. Rien qu'en y repensant, il poussa un profond soupir et revit sa silhouette nue recouverte d'un simple drap, ses délicieuses mèches blond vénitien étalées sur l'oreiller blanc immaculé. A un moment, une de ses jambes avait dépassé du drap, et il avait pu apercevoir dans la pénombre les ongles de ses orteils vernis en rose. Jamais auparavant il n'avait imaginé que des pieds de femme puissent être sexy. Là, il n'avait eu qu'une envie : y poser sa langue et la faire remonter tout le long de son corps, sur sa peau laiteuse, en n'oubliant aucun de ses points sensibles.

La gorge sèche, Hank s'était alors senti embarrassé par l'énorme érection qui avait pointé dans son boxer. Car, bien entendu, une fois qu'il avait commencé à penser à toutes ces choses, il n'avait pu faire autrement que d'imaginer l'intégralité de ce qu'il rêvait de prodiguer à Sam. De fil en aiguille, les images s'étaient faites torrides, passant des préliminaires à des ébats passionnés, brûlants. Il n'avait quasiment pas fermé l'œil de toute la nuit, ce qui expliquait sans doute sa mauvaise humeur durant toute la journée.

Hank poussa un énième soupir, pianotant d'impatience sur la table de la cuisine. Pourquoi traînait-elle avec Jamie, l'ami de son meilleur ami, sinon parce qu'elle était en pleine séance de séduction.

Il marmonna une série de jurons et, faute de pouvoir flanquer une raclée à son ami, frappa violemment le poulet qui attendait d'être frit.

— Waouh ! J'ignorais que tu avais une telle gauche, murmura une voix féminine familière depuis l'encadrement de la porte.

Agacé, Hank ne put s'empêcher de rétorquer d'un ton sec :

— Tu es en retard.

Samantha avança vers lui, posa son sac à main sur la table, puis s'installa sur la chaise face à lui. Ses cheveux étaient légèrement ébouriffés, et elle ramenait avec elle une fragrance iodée qui se mariait divinement avec son habituel parfum fruité.

— J'ignorais que j'avais une heure limite de retour, dit-elle, les yeux pétillants de malice.

Hank poussa un petit grognement. Il y avait en réalité un certain nombre de choses que Sam ignorait. Comme le fait qu'il brûlait d'envie de lui faire l'amour jusqu'à lui en faire perdre la raison.

— Tu t'es bien amusée ?

Samantha ôta une de ses sandales et se mit à se masser l'intérieur de la cheville sur lequel il avait tellement fantasmé la veille.

— Oui.

Hank comprit qu'elle n'avait pas envie de s'étendre sur le sujet. Pourtant, il insista :

— Bien. Et qu'avez-vous fait de beau ?

Sam fronça les sourcils de façon exagérée.

— Tu veux dire avant ou après avoir fait l'amour ?

Hank se leva d'un bond.

— *Quoi ?*

— Du calme, gloussa-t-elle, rassieds-toi ! Je plaisantais : nous avons passé un bon moment. Rien de plus.

Du calme ? Hank était persuadé que sa boîte crânienne allait exploser à tout moment, et Sam osait lui parler de *calme* ?

Le rire de Sam se transforma bientôt en soupir.

— Il ne m'a toujours pas embrassée. Ce à quoi j'ai bien l'intention de remédier dès notre prochain rendez-vous, expliqua-t-elle en le fixant dans les yeux. C'est curieux, je ne l'imaginais pas aussi fleur bleue, mais j'ai comme l'impression qu'un certain ami que nous avons en commun, à qui j'ai pourtant explicitement demandé de se mêler de ses affaires, a dû lui tenir un discours du genre « tu peux regarder si tu veux, mais il est interdit de toucher ». Ecoute, Hank, je conçois que cela puisse être difficile pour toi, mais...

— Tu n'imagines pas à quel point, soupira-t-il.

— Mais tu dois accepter de me laisser grandir, dit-elle. Je ne suis pas ta petite sœur, Hank, cela me touche de te voir jouer au grand frère, mais c'est inutile.

Petite sœur ? Elle s'imaginait encore qu'il voyait en elle une sorte de petite sœur ? Ma parole, même Tina — qui était pourtant loin d'être un modèle de perspicacité — avait compris la nature du problème. Elle ne s'était d'ailleurs pas gênée pour le lui faire comprendre cet après-midi, après qu'il eut — injustement, il devait le reconnaître — passé ses nerfs sur elle.

Curieusement, Samantha, qui était pourtant la première personne concernée, ne semblait se douter de rien.

Hank posa les yeux sur la délicate main qu'elle venait de poser sur son bras. Ce simple contact suffisait à lui donner des frissons sur tout le corps, et à lui envoyer une puissante décharge de chaleur au niveau de l'aine.

— Qu'entends-tu exactement par *y remédier* ? demanda-t-il, ignorant le reste des propos de Sam.

Elle se leva, saisit le poulet et le déposa sur le plan de travail.

— Cela me semble clair, non ? Puisqu'on lui a interdit de faire le premier pas, eh bien, c'est moi qui m'en chargerais, dit-elle avec un léger haussement d'épaules et un sourire à peine perceptible. Histoire d'accélérer un peu la manœuvre !

Quelque chose se mit à tambouriner dans le crâne de Hank. Il décrispa péniblement sa mâchoire afin de répondre :

— Si tu as lu cela dans le genre de magazines que tu as apportés avec ta batterie de préservatifs, eh bien tu commets une grosse erreur. Les hommes n'aiment pas les femmes trop entreprenantes, ajouta-t-il en s'appuyant au dossier de sa chaise.

Il s'efforçait de garder un ton détaché mais, à cet instant, chaque cellule de son corps agonisait d'angoisse.

Sam commença à découper le poulet.

— Veux-tu bien me faire passer le mélange de crème fraîche qui est au frigo ? Rassure-toi, je ne serai pas trop entreprenante, je m'efforcerai simplement de rester séduisante, irrésistible, voilà tout, murmura-t-elle d'une voix un peu sèche.

Hank attrapa l'ingrédient pour Sam, le posa sur le plan de travail et la regarda mélanger délicatement la viande dans la mixture lactée. Malgré sa détermination, il avait un mal fou à orienter la conversation dans la direction qu'il souhaitait. En fait, il ne voyait pas comment il allait pouvoir lui annoncer ce qu'il avait à lui dire de façon subtile. Avec n'importe quelle autre femme, il aurait pu passer en mode séduction en un clin d'œil, mais Sam était loin d'être n'importe quelle autre femme…

— Le poulet doit mariner une demi-heure, déclara Sam. Pendant ce temps, je vais mélanger la farine avec les épices.

Elle sortit une poêle à frire en fonte du casier situé sous le plan de travail et la posa sur la cuisinière. Puis elle fouilla les placards jusqu'à trouver de l'huile.

La gorge de Hank s'assécha soudain. Sa proposition allait être encore plus difficile que ce qu'il avait pensé.

— Tu sais, Sam, commença-t-il en se grattant la nuque, j'ai pas mal réfléchi…

Sam marmonna une vague réponse en continuant de préparer la recette.

— A quel point tiens-tu à avoir cet orgasme dont tu m'as parlé ? demanda-t-il en faisant un effort surhumain.

— Je suis prête à tout pour y arriver.

— Dans ce cas, d'accord, finit-il par articuler.

Samantha pouffa de rire et le dévisagea longuement.

— Je ne me souviens pas t'avoir demandé la permission ! souffla-t-elle tandis que ses grands yeux verts s'embrasaient.

Hank parvint néanmoins à sourire et prononça les mots qui allaient altérer à jamais leur amitié :

— Je ne te la donne pas. En revanche, je t'offre mes services...

8.

Samantha se figea, persuadée d'avoir mal entendu.

— *Pardon ?*

Hank se balança maladroitement sur ses deux pieds, puis il haussa les épaules d'un air faussement désinvolte.

— Je viens de te dire que je t'offre mes services.

Si en cet instant Hank lui avait confessé qu'il était un gay hermaphrodite, travesti, et adepte du sado-masochisme, Sam n'aurait sans doute pas été plus interloquée. Elle cligna des paupières en s'efforçant de digérer ce qu'elle venait d'entendre. Une déferlante d'émotions contradictoires qui allaient d'un sentiment d'outrage à l'allégresse s'empara aussitôt d'elle, la laissant dans un état de complète confusion.

Par chance, son instinct de survie prévalut et son sens de l'humour vint à sa rescousse. Hank ne pouvait pas être sérieux. Il essayait, une fois encore, de la déstabiliser. De toute façon, elle n'osait pas imaginer qu'il puisse être sérieux. Cela serait trop cruel et surtout trop proche de ce à quoi elle avait toujours rêvé.

Samantha gloussa et lui adressa un regard sardonique.

— Tes services ?

Hank avala de nouveau sa salive.

— Tout à fait.

110

— Mais quel genre de services ? insista-t-elle afin d'être sûre d'avoir bien compris.

— Ceux qui te conduiront directement à l'orgasme dont tu rêves, expliqua-t-il après s'être éclairci la gorge.

Samantha fut aussitôt assaillie par toute une série d'images coquines, dans lesquelles Hank et elle étaient nus. Elle sentit un exquis frisson lui parcourir le bas-ventre tandis que sa bouche s'asséchait. Déterminée à ne pas se laisser déstabiliser, elle sortit un saladier d'un placard, le posa sur la table de travail, et y versa une copieuse quantité de farine.

Puis elle poussa un profond soupir et se composa un sourire censé refléter le moins possible son état de trouble intérieur.

— Eh bien, je te remercie, Hank, murmura-t-elle faute de savoir quoi dire d'autre. C'est une offre peu banale… mais je crois que je vais la décliner.

Hank s'était appuyé au plan de travail, mais à ces mots il se redressa, l'air très agité et déconcerté.

— Décliner ? Mais pourquoi ? Tu dis que tu rêves d'un orgasme, et moi je propose de t'en offrir un. Je peux même t'en offrir des dizaines, si tu le souhaites ! Bon sang, pourquoi refuserais-tu une offre pareille ?

— Parce que ton offre est stupide, rétorqua-t-elle.

Pourquoi jouait-il à ce petit jeu ? Il n'avait donc aucune idée du mal qu'il lui faisait ?

— Stupide ? répéta-t-il en écarquillant les yeux.

— Oui, stupide, répondit-elle, exaspérée.

Elle ajouta du sel, du poivre et un peu de paprika aux ingrédients dans le saladier, et commença à mélanger.

— Tu n'as rien compris, Hank. Le but même de cette opération est pour moi de trouver un homme qui me *désire* !

Je suis touchée de voir que tu es prêt à… te sacrifier ainsi, mais je t'assure que ce n'est pas nécessaire, expliqua-t-elle en prenant soin d'éviter son regard, avant de poser sa cuillère de bois et de croiser les bras. Ta pitié ne m'intéresse pas, Hank.

— Qui a parlé de pitié ? La situation est très simple, c'est toi qui compliques tout. Tu veux un orgasme, eh bien, je vais t'en donner un, voilà tout, insista Hank avec fougue. *Moi* et personne d'autre, bon sang de bonsoir !

Ma parole, si elle n'avait pas toute sa lucidité, Sam aurait presque pu croire que Hank lui faisait là une crise de jalousie. Bien que convaincue qu'une telle chose n'était guère possible, elle se sentit flattée et ne put s'empêcher d'espérer qu'il soit sincère.

— Eh bien, il me semble que tout ceci me concerne, moi, et moi seule, non ?

— Samantha, écoute-moi…

Elle inspira profondément.

— Non, c'est à toi de m'écouter. Tu prends toute cette histoire trop au sérieux. Si j'avais su que cela allait t'affecter à ce point, je ne t'aurais pas parlé de mes projets. Te rends-tu compte de ce que tu viens de me proposer ?

— Bien sûr que oui, répliqua-t-il sèchement. Et pourquoi pas, bon sang ?

Sam avait peine à croire qu'ils étaient réellement en train d'avoir cette discussion. Un sentiment de frustration la traversa.

— N'as-tu donc rien écouté de ce que je t'ai dit ? s'écria-t-elle. Ce dont je rêve, c'est d'être *désirée* par un homme. Si je voulais seulement un orgasme, je pourrais avoir recours à la masturbation — comme tu me l'as très finement suggéré — ou même louer un gigolo. A un moment, je l'avais même envisagé, à vrai dire...

— Louer un gigolo ? répéta Hank, le regard noir. Tu plaisantes ?

— Que je plaisante ou pas, ce n'est pas la question ! L'important, c'est que nous savons, toi et moi, que tu ne me désires pas. Tu refuses juste l'idée que je puisse connaître des hommes.

Hank se rapprocha du plan de travail et se planta à côté d'elle. Samantha pouvait quasiment sentir les ondes de colère brûlante qui émanaient de lui.

— Tu n'as qu'à moitié raison, reprit-il calmement.

Samantha se redressa.

— Que veux-tu dire ? Qu'aurais-je mal compris ?

Hank posa ses deux mains sur les épaules de Sam et la fit pivoter afin de la regarder.

— Tu es persuadée que je ne te désire pas.

Le cœur de Sam se mit à battre à tout rompre, et l'espace d'un instant, elle crut qu'il allait exploser. Elle déglutit péniblement.

— Ne me mens pas, Hank. Tu n'es pas obligé de faire ça.

Hank éclata d'un drôle de rire, et ses yeux bleu azur se mirent à briller d'un éclat de profonde lassitude.

— Sam, je ne mens pas. Je te désire, je t'ai toujours désirée... Cela fait des années.

Des années ? Cette conversation prenait une tournure surréaliste. Ebahie, elle osait à peine croire ce qu'elle entendait.

Elle secoua la tête.

— Tout cela est ridicule, balbutia-t-elle. Pourquoi fais-tu cela ? Pourquoi me dis-tu toutes ces choses ? Pourquoi maintenant ? Si tu me désirais avant, alors pourquoi ne m'en as-tu jamais rien dit auparavant ?

— Je craignais de mettre notre amitié en danger.

— Mais tu es prêt à le faire aujourd'hui ?

Elle n'avait aucun mal à le comprendre : elle-même avait choisi de garder ses sentiments pour elle pour la même raison. Mais qu'y avait-il de si différent à présent ? Si ce qu'il venait de dire était vrai — et Dieu sait à quel point elle l'espérait ! — qu'est-ce qui avait pu pousser Hank à lui déclarer ses sentiments ?

Faute de réponse rationnelle, elle fronça les sourcils.

— Non, bien sûr que non, ton amitié m'est trop précieuse, Sam. Elle l'a toujours été. Mais je ne peux te laisser commettre ce que tu t'apprêtes à faire. Pas ici. Pas maintenant. Pas avec le premier venu. Je sais que tout ceci est dingue, mais je ne peux oublier ce que je ressens. Ce que je ressens depuis l'été de tes dix-huit ans, ajouta-t-il avec un petit rire gêné. Nous avons failli nous embrasser cet été-là, t'en souviens-tu ?

Sam acquiesça en avalant péniblement sa salive. Si elle s'en souvenait ? Jamais elle n'avait oublié.

— Mais c'est *toi* qui as rompu… le contact, si je puis dire.

— Eh bien, ce n'était pas faute d'en avoir envie, crois-moi, Sam.

Il posa ses yeux sur ses lèvres, ce qui ne manqua pas de déclencher une sensation de désir dans le bas-ventre de Sam.

— Et c'est toujours le cas, reprit-il. Ton parfum suffit à me faire quasiment perdre la raison. Je n'ai qu'à te regarder pour mourir d'envie de t'offrir cet orgasme dont tu rêves tant. Je ne supporte pas l'idée qu'un autre homme que moi

114

te touche. Cela me rend complètement marteau ! Je ne me l'explique pas à moi-même, Sam, alors ne me demande pas de te l'expliquer. Il n'y a rien à expliquer. C'est comme ça, et c'est tout.

Samantha sentit son cœur se serrer. Hank se trompait en croyant que son désir venait de cette époque. C'était le « régime phéromones » qui était responsable de son état !

Une angoisse enserra le ventre de Samantha et le peu d'air qui lui restait dans les poumons finit de s'évacuer en un soupir de panique silencieux. Hank avait peut-être été attiré par elle auparavant, mais il avait toujours su contrôler son attirance. Jusqu'à présent. Jusqu'à ce qu'elle se soit métamorphosée en une sorte de phéromone géante !

Elle ignorait si elle devait se réjouir ou être déçue. Son cerveau était incapable de produire la moindre pensée cohérente, encore moins de trouver une solution à cette situation de plus en plus confuse. Elle ne savait plus ni que dire, ni que faire. Elle était sidérée, désemparée. Le fait d'apprendre que Hank était attiré par elle depuis quasiment autant de temps qu'elle l'était par lui aurait dû la combler de bonheur. Mais si elle n'avait pas été sous l'effet de son régime, Hank lui aurait-il ouvert son cœur de la sorte ? Car, après tout, il était parvenu à garder le secret des années durant afin de préserver leur amitié, et voilà que du jour au lendemain, il était soudain prêt à tout remettre en cause…

— Eh bien ? demanda Hank d'une voix impatiente.

Samantha cligna des paupières tout en s'efforçant de recouvrer ses esprits, et leva les yeux.

— Eh bien, quoi ?

Un timide sourire se dessina sur les lèvres de Hank.

— Qu'en penses-tu ? Je te rappelle que je viens de me mettre à nu, Sam, tu ne peux me laisser ainsi, sans réponse !

— Je… euh… je ne sais pas, Hank, soupira-t-elle en passant une main tremblante dans ses cheveux. Il y a un certain nombre de choses à prendre en considération.

— Par exemple savoir si je t'attire ou non ? demanda-t-il, alors que son sourire s'effaçait.

Sam laissa échapper un petit rire plein d'ironie. Si Hank se posait encore ce genre de question, cela tendait à démontrer qu'elle avait été, toutes ces années durant, une bien meilleure comédienne qu'elle ne l'avait cru !

A la seconde même où il lui avait fait son aveu, Sam avait senti chaque cellule de son corps s'embraser, et un ardent désir l'avait traversée de part en part. Une vibration étrange s'était déclenchée au niveau de son entrejambe, et elle avait dû consentir un effort surhumain pour détourner les yeux de la bouche si tentante de Hank. En même temps, les pointes de ses seins s'étaient dressées dans son soutien-gorge, comme impatientes d'être délivrées de leur petite prison de tissu pour enfin se frotter contre le torse doux et musclé de Hank.

— Non, je pensais plutôt à notre amitié, répondit-elle en prenant soin d'éviter de répondre directement à la question.

Hank parut se redresser, son sourire s'élargissant tandis qu'il retrouvait sa confiance.

— Donc, tu es bien attirée par moi ?

Les lèvres de Sam se mirent à trembler. Hank semblait déterminé à lui extirper la vérité, coûte que coûte.

— Ce n'est pas ce que je veux dire, se défendit-elle. En revanche ce que tu me proposes va altérer à jamais notre relation présente.

— Sam, j'ai déjà altéré notre relation en te livrant mes sentiments. Ce que je viens de te dire restera toujours entre nous, quoi que l'on y fasse. Je suis navré si je t'ai mise mal à l'aise… mais je ne pouvais te laisser faire… *cela*, poursuivit-il en poussant un soupir frustré tout en plongeant son regard dans le sien. Cela me rend complètement dingue !

Même si elle le comprenait parfaitement, Sam hésitait encore. Elle se mordit la lèvre.

— Admettons… Mais cela fait quand même un certain nombre de choses à peser.

— Je vois, répondit Hank. Tant que tu y es, tu réfléchiras aussi à ceci…

Et avant que Sam ne puisse répondre quoi que ce soit, Hank s'avança, prit son visage entre ses mains hâlées, et posa prestement ses lèvres sur les siennes.

Aussitôt, une exquise décharge électrique parcourut l'échine de Sam. Sous l'effet de la surprise, elle entrouvrit les lèvres, et Hank en profita pour y glisser sa langue, tout en l'attirant contre lui et en enfouissant ses mains dans sa chevelure.

Emportée par une tornade de sensations, Samantha sentit ses jambes se dérober, et elle se laissa aller contre Hank. Une nouvelle salve d'électricité remonta le long de ses cuisses pour venir se fixer dans son bas-ventre.

Ce baiser, elle en rêvait depuis des années, et même plus encore.

Les lèvres de Hank étaient tout à la fois chaudes et fraîches. Hank était aussi rassurant que mystérieux, sensuel et taquin. Ce baiser avait un goût de péché, de plaisirs interdits et de rêve devenu réalité. Le corps si familier de Hank contre lequel elle était blottie paraissait parfaitement adapté au sien… Elle avait attendu ce moment toute sa vie, et sans aucun doute, cela avait valu la peine d'attendre.

Elle lui retourna son baiser, laissant enfin s'exprimer le désir et les sentiments qu'elle avait contenus toutes ces années , cherchant sa langue, la titillant. Le parfum de Hank, un étonnant mélange de plage et de virilité, lui envahit les narines, l'enivrant et faisant résonner le moindre de ses pores d'un désir tout aussi exquis qu'irrépressible.

Elle fit glisser ses mains le long de son torse et le sentit trembler sous ses paumes. Puis elle remonta sur ses épaules musclées jusqu'à l'orée de sa chevelure au niveau de sa nuque. Savourant le moindre de ses soupirs, Sam sentit la ferme proéminence du désir de Hank se plaquer contre son ventre, et fut immédiatement saisie d'un enivrant sentiment de pouvoir féminin, de pouvoir de séduction.

Hank la désirait. Il la désirait *vraiment* !

Cette certitude lui embrasa le cœur tandis que ses yeux se mouillaient d'émotion.

Avant qu'elle ne puisse réfléchir davantage à ce sentiment, Hank appuya son baiser, en ralentissant le rythme, le rendant de plus en plus sensuel et provocant. Il émit un long soupir de désir viril qui résonna au plus profond de Sam. En réponse, elle se pressa plus encore contre lui, tandis qu'une vibration torride se répandait dans son bas-ventre. Elle sentit ses paumes lui picoter. Chaque cellule de son corps était en état d'alerte alors que les remous du désir allaient et venaient inlassablement en elle.

Cet orgasme dont elle rêvait tant se profilait à présent de façon plus que prometteuse. Elle réprima un gémissement et frotta distraitement son poignet qui la démangeait.

Hank murmura un son inaudible contre sa bouche et lui mordilla la lèvre inférieure. Gardant un bras autour de la taille de Sam, il l'attira plus encore contre lui. Puis il aventura une main le long de ses côtes, avant de l'immobiliser doucement contre sa poitrine.

— Je peux te faire jouir tout de suite, si tu le souhaites, déclara-t-il. Tu n'as qu'à dire oui.

Oh, Seigneur, elle en avait tellement envie ! Elle se contenta de pousser un profond soupir en guise de réponse, alors qu'une sensation exquise s'emparait d'elle tout entière. Elle appuya la pointe de ses seins contre les paumes de Hank et gémit lorsqu'il faufila ses doigts à travers sa chemise.

— Je te donnerai toutes les sortes d'orgasmes que tu peux imaginer, autant que tu le désireras. Je te le promets, susurra-t-il en promenant la pointe de sa langue sur son cou de façon excitante. Tu n'as qu'à me dire oui, Sam.

Samantha bredouilla une monosyllabe inaudible, se cambra contre Hank tout en sentant une curieuse démangeaison au niveau d'une de ses chevilles. Elle ne put réprimer alors une grimace d'irritation au beau milieu du moment le plus sensuel de toute sa vie. Hank venait de lui proposer tout ce dont elle avait toujours rêvé : lui en chair et en os. Effectivement, dès l'instant où il lui avait livré ses sentiments, leur relation avait définitivement changé. Jamais elle n'aurait pensé qu'il était possible de désirer un homme à ce point.

Hank posa de nouveau ses lèvres sur les siennes et l'embrassa langoureusement. Sa paume délaissa ses seins pour redescendre vers son entrejambe brûlant. Il glissa ses doigts sous l'élastique de sa ceinture, puis sous sa culotte, et au premier contact entre ses doigts agiles et sa toison détrempée de désir, Sam laissa échapper un petit cri.

Le souffle incandescent de Hank caressa alors son oreille :

— Dis-moi oui, murmura-t-il.

Elle frissonna. Mais sans attendre, les doigts de Hank se faufilèrent entre les replis de son sexe et trouvèrent son clitoris palpitant de désir.

Sam inspira profondément.

— *Oui !* s'écria-t-elle tandis qu'une déferlante orgasmique envahit chaque cellule de son corps.

Elle pencha brusquement la tête en arrière alors que, par vagues, la sensation la plus exquise et la plus renversante qu'elle ait jamais connue s'emparait d'elle. Sam planta ses dents dans ses lèvres ; elle avait les jambes en coton et si elle n'avait pu s'appuyer contre le torse robuste de Hank, elle se serait probablement effondrée à terre sous l'effet de l'extase qu'elle venait de vivre.

Il continua à la caresser doucement, soucieux sans doute de prolonger ses sensations.

— Tu es incroyablement réceptive, murmura-t-il contre son oreille en souriant d'un air satisfait.

A cet instant une démangeaison très malvenue survint derrière le lobe de l'oreille de Sam. Elle fronça les sourcils, s'éloignant peu à peu de son euphorie post-orgasmique, et se gratta à contrecœur.

Hank lui mordilla le lobe avant de s'exclamer d'une voix rauque tellement sexy :

— Sam… Pourquoi te grattes-tu ?

— Humm ?

Sam flottait dans un monde où ses allergies ne la concernaient plus. Elle tourna la tête et plaqua ses lèvres contre celles de Hank, l'embrassant goulûment jusqu'à ce qu'un nouveau désir impérieux naisse dans son bas-ventre. Elle mordilla la base du cou de Hank, le soumettant au même traitement d'excitation auquel il venait de la conduire. Il se mit à respirer fort, puis à haleter et un sourire ravi se dessina sur ses lèvres.

Elle se blottit contre lui tout en promenant sa langue depuis son cou jusqu'à sa mâchoire. Hank avait allumé un incendie au plus profond d'elle-même, elle n'avait qu'une envie à présent : qu'il l'attise encore et encore. Elle voulait un nouvel orgasme. Mais l'arrière d'un de ses mollets se mit à la démanger de manière insistante. Elle fit une petite grimace, et en relevant le genou pour se gratter, elle cogna accidentellement l'entrejambe de Hank.

Aussitôt il poussa un cri de surprise et de douleur, avant de s'effondrer au sol, les mains sur le sexe, le visage livide.

Horrifiée, Sam cria à son tour, se frotta le mollet, puis se mit à genoux à côté de lui.

— Oh, mon Dieu, Hank ! s'exclama-t-elle, confuse. Qu'ai-je fait ? Je suis vraiment désolée…

Elle aurait voulu le toucher, l'aider, mais restait tétanisée devant ce qu'elle venait de faire. De plus, elle ignorait tout des gestes de premiers secours, surtout pour ce genre d'accident.

Le visage de Hank se tordait de douleur, et il se recroquevilla en position fœtale.

— Ne t'inquiète pas, articula-t-il avec difficulté alors que ses veines pulsaient de façon spectaculaire sur son cou. Dans une minute, j'irai mieux.

Atrocement mal à l'aise, Sam se mordit la lèvre.

— Je suis vraiment navrée, Hank.

— Il n'y a pas de mal, assura-t-il à court de souffle. En revanche, d'où te viennent ces maudites démangeaisons ?

Démangeaisons ? A cet instant, Sam comprit…

Son antihistaminique ! Elle avait oublié de prendre son comprimé avant le repas que Jamie et elle avaient pris au retour de leur promenade en jet-ski. Et bien sûr, elle avait mangé des tonnes de crevettes. Elle s'était dit qu'elle prendrait son cachet en rentrant à Clearwater, mais Hank l'avait clouée dans la cuisine. Il s'était lancé dans ce discours concernant son attirance pour elle, ils s'étaient embrassés, et elle avait eu son premier orgasme... et bien sûr, son traitement anti-allergique était devenu le cadet de ses soucis.

Ma parole, elle avait complètement perdu la raison ! il avait suffi que Hank glisse sa langue au creux de son oreille, que ses grandes mains chaudes lui titillent les seins, puis l'entrejambe pour que la moindre pensée cohérente ne s'évapore de son cerveau.

Doux Jésus ! Comment avait-elle pu être aussi stupide ? Comment avait-elle pu laisser une telle chose arriver ? Elle qui avait finalement réussi à faire émaner d'elle un peu de sex-appeal, conduisant Hank à être attiré par elle, voilà qu'elle risquait de tout hypothéquer juste parce qu'elle n'était qu'une incorrigible tête en l'air. Décidément, elle avait besoin de voir un psy...

— Oh, ce ne sont que de vilaines piqûres de moustiques, mentit-elle en scrutant le visage pétri de douleur de Hank. Je suis tellement, tellement navrée, Hank... Veux-tu que j'aille te chercher de la glace ?

Il écarquilla les yeux, l'air horrifié.

— Ou autre chose ? poursuivit-elle. Dis-moi !

Il lui décocha un regard malicieux, et une lueur coquine vint supplanter la douleur qui se lisait dans le fond de ses yeux.

— Il y a bien... quelque chose, murmura-t-il après quelques secondes.

— Dis-moi, lui intima Sam avec empressement en se penchant vers lui. Tout ce que tu voudras !

Un demi-sourire éclaira le visage de Hank.

— Eh bien, tu pourrais m'embrasser, juste là où tu m'as blessé... Je suis sûr que cela atténuerait plus vite la douleur..., chuchota-t-il.

Samantha sentit une décharge de chaleur lui traverser le corps de part en part, et essaya de se convaincre que cela était de l'embarras. Elle se trouva momentanément bouche bée, alors qu'elle s'imaginait poser ses lèvres sur chaque millimètre carré du corps de Hank, le dégustant, le titillant jusqu'à le faire rugir de plaisir.

— Autre chose ? demanda-t-elle en parvenant à se composer un sourire presque neutre.

Le sourire de Hank s'effaça, mais ses pupilles étincelaient d'excitation. Il se rassit péniblement en gémissant.

— Oui, peux-tu m'aider à me lever ?

Sam s'exécuta et il s'appuya contre le plan de travail. Ses lèvres avaient considérablement pâli sous l'effet de la douleur, et des perles de sueur encadraient son front.

— Je suis navrée, répéta Sam.

— Ça va, je vais m'en remettre, articula-t-il avec un sourire faussement satisfait. Donc... envisages-tu de réfléchir à ma demande ?

Et comment ! se dit Sam. Même si une partie d'elle-même hésitait encore.

En moins de dix minutes, grâce en partie au « régime phéromones », son désir le plus cher — connaître l'orgasme dans les bras de Hank — s'était réalisé.

Mais était-elle vraiment prête à aller encore plus loin ? Car, comme Hank l'avait justement fait remarquer, leur relation était à présent altérée à jamais. Cela ne faisait aucun doute : l'orgasme qu'il venait de lui offrir venait de bouleverser la nature de leur amitié.

Or, il y avait une énorme différence entre des gestes érotiques — certes, aux effets orgasmiques — et l'acte sexuel. Sam n'était pas certaine de vouloir aller jusqu'au bout avec Hank. Il y avait trop de choses en jeu, y compris son propre cœur à elle. Et surtout, dès qu'elle arrêterait son régime, Hank recouvrerait ses esprits, se demanderait comment il avait pu se retrouver attiré par cette femme qu'il n'avait jamais regardée en tant que telle auparavant, et leur amitié serait à jamais gâchée. Ils deviendraient deux étrangers, mal à l'aise l'un face à l'autre, et malheureux chacun de leur côté.

Sam craignait de perdre toutes les années qu'elle avait investies dans une amitié extraordinaire. Elle ne le supporterait pas. Mais pouvait-elle réellement refuser ce que Hank venait de suggérer ?

Elle ne connaissait que trop la réponse. En posant les yeux sur lui, debout face à elle, elle fut saisie de désir et d'affection. Un nœud se forma au creux de sa gorge, tandis que son bas-ventre se consumait d'un désir qui désespérait d'être satisfait.

Non, elle ne pouvait refuser. Malgré les énormes conséquences que cela entraînerait. Elle désirait Hank depuis trop longtemps. Déjà, il venait de lui offrir tout ce dont elle avait toujours rêvé.

Etre désirée... par lui.

Etre embrassée... par lui.

Connaître l'orgasme... avec lui.

Et puis, il lui promettait mieux encore. Toutes les sortes d'orgasmes que l'on pouvait imaginer, autant qu'elle le désirerait. Devait-elle mettre un terme à cette folie érotique ? Jamais de la vie !

— J'y réfléchis... très sérieusement, répondit-elle.

124

— Et ?

— Es-tu certain de vouloir aller jusqu'au bout ? demanda-t-elle en posant ses doigts sous son menton.

— Tu veux dire, certain que cela n'est pas une erreur ? Non. Absolument.

Cela avait le mérite d'être clair. Et puis, cela correspondait exactement à ce que Sam pensait. Au moins, ils étaient sur la même longueur d'onde. Même si son ventre vibrait d'impatience, elle sentit un sourire hésitant se dessiner sur ses lèvres.

Elle fixa Hank droit dans les yeux.

— Dans ce cas, ma réponse est… oui.

Hank pouffa de rire, et l'attira contre lui.

— Si mes souvenirs sont bons, tu m'as déjà dit cela il y a quelques minutes.

Sam sentit ses joues devenir cramoisies. En effet, elle avait déjà crié un oui libérateur tout à l'heure. Et elle avait hâte de prononcer de nouveau ce mot magique, encore et encore.

9.

ses lèvres.

Malgré le fait qu'après plusieurs heures l'indécision et le
doute continuaient à tourmenter Hank, malgré la certitude
qu'il venait d'altérer de façon irréversible l'amitié la plus
importante de sa vie, il ne regrettait pas une seule seconde
d'avoir embrassé Sam, de l'avoir fait jouir, et de lui avoir
avoué la vérité sur ses sentiments.

Impossible d'éprouver des regrets sur un sentiment qui
lui semblait aussi juste que légitime.

En fait, bien qu'il ne se soit jamais considéré comme un
sentimental, il s'était senti étrangement affecté ; une drôle
d'émotion avait enflé au creux de sa poitrine, tandis que
sexuellement il n'avait jamais été aussi excité de toute sa
vie. Il s'était alors rendu compte que c'était précisément
cela qu'il avait attendu durant toutes ces années, *cela* à
quoi il aspirait sans même en être conscient.

Au moment où ses lèvres avaient effleuré pour la première
fois celles de Sam, il avait eu cette étrange sensation : lorsqu'il avait senti le souffle délicat et tiède de Sam dans sa
bouche et qu'elle s'était lovée contre son torse, un instinct
purement animal s'était emparé de lui. Si elle ne lui avait pas
donné ce maudit coup de pied à l'entrejambe — d'ailleurs,
qu'avait-elle à avoir ainsi des démangeaisons en perma-

nence ? — il aurait sans doute fini par l'asseoir là, sur le plan de travail, et écarter ses cuisses pour se glisser en elle jusqu'à ce qu'ils crient de plaisir à l'unisson. Il se demanda si Sam avait conscience que c'était ce qu'il s'apprêtait à faire au moment où elle l'avait handicapé. Se rendait-elle compte que ce qu'il éprouvait pour elle dépassait largement un simple désir physique, aussi explosif soit-il ?

En tout cas, désir ou pas, il était impératif pour elle — comme pour lui d'une certaine façon — de gagner cette satanée élection de Miss Plage. Et plutôt que continuer ce qu'ils venaient de commencer, ils réussirent à se convaincre mutuellement que retourner à leurs casseroles et faire frire le poulet était la meilleure chose à faire dans l'immédiat.

Hank sourit intérieurement. Ce n'était pas qu'il ne souhaitait pas lui faire l'amour jusqu'à en perdre haleine, mais rester auprès de Sam en train de cuisiner n'avait rien de déplaisant. Au moins, ils passaient du temps ensemble.

Et, même s'il n'avait aucune envie de s'interroger sur les raisons profondes qui le faisaient penser ainsi, il avait terriblement envie que Sam revienne s'installer à Orange Beach. Lorsqu'elle lui avait fait part de son projet, il avait été immédiatement séduit par cette idée. Et puis, en quelques minutes, il s'était aperçu qu'il mourait d'envie de vivre de nouveau près d'elle.

Il voulait Sam ici, à Orange Beach, près de lui.

A présent, il allait devoir faire en sorte que cela arrive ; il aurait largement le temps de réfléchir à ses motivations profondes plus tard. Pour l'heure, il allait devoir échafauder un plan...

Un rire furtif s'échappa de ses lèvres. Vu ce que Sam lui avait fait vivre ces vingt-quatre dernières heures, le fait que son cerveau soit encore capable d'aligner deux pensées cohérentes relevait du miracle.

Car, en plus d'être émotionnellement bouleversé, il avait l'impression que tout son sang s'était rassemblé au-dessous de sa ceinture. Il passa une main dans ses cheveux, et se frotta vigoureusement les yeux. Il allait devoir se reprendre.

— Arrête-moi si je me trompe, mais n'y a-t-il pas une femme super-canon en ce moment même dans ton lit ?

Hank leva les yeux, et accepta de bonne grâce la bouteille de bière que Jamie lui tendait.

— En effet.

— Et toi, tu restes ici ! s'exclama Jamie en s'asseyant sur le siège à côté de Hank. Alors que tu meurs d'envie de la rejoindre. Ne me dis pas que tu es en proie à de nobles scrupules...

Hank secoua la tête. Ses pensées n'avaient rien de noble.

— J'essaie seulement de réfléchir.

— Et qu'y a-t-il à réfléchir ?

Hank inclina sa bouteille et en but une longue gorgée.

— Des choses du genre : Est-ce vraiment une bonne idée de coucher avec son meilleur ami ?

Le rire de Jamie résonna dans la pénombre.

— Je suis flatté, Hank, mais je préfère que les choses soient claires entre nous : tu ne m'intéresses pas...

— Je ne parlais pas de toi, espèce d'idiot, marmonna Hank.

— Personnellement, je trouve que tu réfléchis trop, poursuivit Jamie en riant. Assez cogité, mon ami, il est temps de passer à l'action à présent ! Bon sang, quand comprendras-tu que cette femme est folle de toi ?

A ces mots, le cœur de Hank fit un bond. Il se redressa en feignant pourtant l'indifférence.

— Qu'est-ce qui te fait dire une chose pareille ?

— Cela crève les yeux ! affirma Jamie en haussant les épaules. Voyons, Hank, tu n'as qu'à ouvrir les tiens ! Et puis Sam n'a pas arrêté de me parler de toi !

— A toi, peut-être, argumenta Hank, mais c'est seulement parce que je suis votre seule relation commune. Il est naturel qu'elle te parle de moi.

— Non, il y a plus que cela, insista Jamie en hochant la tête. Si tu veux mon avis, cela fait un bon bout de temps qu'elle en pince pour toi.

Hank pesa ces dernières paroles. Jamie aurait-il raison ? Samantha aurait-elle pu avoir le béguin pour lui pendant toutes ces années sans qu'il ne s'en aperçoive ? Jusqu'à cette semaine, il aurait aussitôt chassé cette idée incroyable de son esprit, croyant connaître Sam mieux que quiconque, et surtout étant persuadé que si elle avait eu le moindre sentiment romantique à son égard, il l'aurait remarqué.

Mais à présent, il n'en était plus si sûr. Car entre leurs baisers passionnés et l'orgasme qui s'en était suivi, il devait se rendre à l'évidence. Sam le désirait. Et il avait été profondément touché par la façon dont elle s'était agrippée à lui. Ce moment n'avait peut-être duré qu'une seconde, mais il avait suffi pour qu'il remarque à quel point Sam s'était abandonnée à lui, et à quel point ses baisers étaient empreints d'une fougue dévorante, une fougue qu'il n'avait jusque-là jamais connue.

Bien sûr, on pouvait mettre cela sur le compte de ses hormones trop longtemps négligées. Après tout, qui pouvait dire avec certitude qu'elle n'aurait pas réagi de la même façon dans les bras de Jamie ? Plutôt que de s'interroger sur cette question désagréable, Hank préféra la chasser de son esprit. Il n'avait aucune envie d'imaginer Sam en train d'embrasser son ami — ou quiconque, d'ailleurs. C'était précisément ce qui l'avait poussé à lui dévoiler ses sentiments et à lui promettre des orgasmes à répétition, ruinant ainsi des années de retenue, et peut-être aussi leur amitié.

Le concours de thé glacé et de poulet frit devait avoir lieu le lendemain après-midi, suivi de l'élection officielle de Miss Plage dans la soirée. Hank avait la ferme intention de voir Sam la remporter, et était même prêt à tirer quelques ficelles afin de s'assurer que cela arriverait. Car, si ce concours permettait à la jeune femme de revenir vivre dans la région, la fin justifiait bien les moyens ! Il se trouvait qu'il connaissait les juges censés arpenter la plage « en civil ». Il décida de réfléchir un peu plus tard à la manière de les « aider » dans leur tâche… Dans l'immédiat, une autre pensée l'accaparait : il avait invité Samantha à dîner après la cérémonie d'élection officielle de Miss Plage. Si elle avait encore des doutes quant à sa sincérité, et à la façon dont il la désirait, eh bien ils seraient dissipés dès demain soir, après les résultats de l'élection. Car Hank prévoyait de lui offrir une soirée — et une nuit — qu'elle ne serait pas près d'oublier…

— Mais c'est complètement ridicule ! Pas question que je porte un truc pareil ! protesta Samantha avec vigueur.

Elle repoussa Hank d'une main ferme alors qu'il tentait de lui enfiler un tablier en dentelle.

— Ce n'est pas ridicule, c'est au contraire une idée de génie. Cela te fera sortir du lot, crois-moi, assura-t-il en revenant à la charge.

Il la fit pivoter et lui passa presque de force le vêtement par-dessus la tête, avant de nouer la ceinture autour de sa taille.

— Pas question, Hank ! Je vais avoir l'air d'une idiote. Je refuse de porter cette horreur !

Les candidates avaient rencontré l'organisateur du concours ce matin. Pour la compétition de cuisine, il les avait encouragées à s'habiller de façon simple, comme si elles se trouvaient dans leur propre cuisine. Sam baissa les yeux vers le tablier que Hank lui avait trouvé et se retint de hurler. *Jamais* elle ne se montrerait en pareille tenue.

Avant même d'argumenter son point de vue concernant l'habit de concours, elle fut distraite par le contact diablement sensuel des paumes de Hank contre sa nuque. Elle frissonna, porta ses mains à sa gorge et s'exclama :

— Des *perles* ? Enfin, Hank, à quoi joues-tu ?

— Je ne fais qu'essayer de t'aider ! rétorqua-t-il agacé en accrochant le fermoir du collier. A présent, arrête de gigoter, il ne te reste que quelques minutes avant d'aller présenter ta boisson et ton plat aux juges.

— Hank, ce n'est pas parce que je suis déguisée en soubrette sexy que mon poulet frit aura meilleur goût ! murmura-t-elle en grinçant des dents.

— Faux ! Comme on dit en marketing, l'emballage fait le produit. Et d'une certaine façon, tu fais, toi aussi, partie de l'emballage de tes mets. Tiens, si tu veux gagner, mets ça, continua-t-il en lui tendant des chaussures à talons rouges.

Samantha secoua la tête.

— Hank, je...

— *Mets-les* ! ordonna-t-il d'un ton qui n'admettait pas la contradiction.

Elle le dévisagea un instant, poussa un profond soupir et finit par s'exécuter. Franchement, elle ne comprenait pas ce qui lui prenait ! Hier soir, lorsqu'ils avaient fini la préparation du menu dans la cuisine, elle l'avait trouvé beaucoup plus calme que depuis son arrivée à Clearwater. Même après l'Orgasme — elle frissonnait encore rien qu'à y repenser — et le malencontreux coup de pied qui avait suivi, il avait subsisté une certaine tension entre eux, plutôt une tension *sexuelle* qu'une tension conflictuelle.

Son allergie galopante avait mis un terme à leurs ébats torrides et elle ne finirait jamais de s'en vouloir. Mais au moins, à quelque chose malheur était bon, elle avait pu peaufiner son poulet frit pour le concours !

Et puis, elle se disait que c'était mieux ainsi — elle avait besoin de réfléchir à ce que Hank lui avait proposé lors de cette soirée incroyable. Même si, quelques dizaines d'heures plus tard, le goût de Hank était toujours sur ses lèvres et que son corps vibrait encore au souvenir de son premier orgasme, elle n'était toujours pas convaincue d'avoir pris la bonne décision.

Hank avait raison : les choses entre eux ne seraient plus jamais pareilles, maintenant qu'il lui avait avoué ses sentiments. Après une telle révélation, qu'allait-il advenir de leur amitié ? S'ils tentaient l'aventure en tant que couple et que cela ne fonctionnait pas, leur amitié résisterait-elle ? Pouvait-on réussir à changer une amitié profonde et sincère en relation amoureuse ?

Hank lui avait offert ce dont elle avait toujours rêvé, avec une petite exception : s'il cédait à son attirance pour elle, cela ne serait que temporaire... Car une fois qu'elle aurait terminé son régime, son sex-appeal s'évaporerait et Hank se demanderait ce qui avait bien pu le pousser à la prendre dans ses bras. Il regretterait alors la semaine passée ensemble et leur amitié serait gâchée à jamais.

Sam soupira alors qu'une nouvelle vague d'incertitudes la submergeait. En ce moment, Hank était à la merci de ses phéromones en folie : si elle profitait de l'opportunité d'une aventure avec lui, leurs vies en seraient bouleversées. Mais si elle n'en profitait pas, le résultat serait le même. Car ils étaient déjà allés trop loin...

Devait-elle rater sa chance de faire l'amour avec Hank ? La réponse était non ! Hank était un rêve devenu réalité et, après tout, peu importait de savoir si le « régime phéromones » était à l'origine de ce miracle. Elle aurait largement le temps plus tard de se poser des questions existentielles. Pour le restant de sa semaine de vacances, elle allait se contenter d'écouter ses instincts, à savoir s'abandonner entièrement à Hank.

Il l'avait invitée à dîner ce soir, et vu la façon dont son regard s'était attardé sur ses lèvres à ce moment-là, elle avait bien compris que ce repas ne serait qu'un préliminaire. A cette idée, elle se mit à sourire, alors qu'un délicieux frisson lui parcourait l'échine.

Elle avait hâte de se retrouver en tête à tête avec lui.

Hâte de crier de nouveau ce oui libérateur, encore et encore ; hâte d'explorer le corps d'apollon de Hank, d'apprendre à en reconnaître chacun des creux et des courbes, chaque repli, chaque tache de rousseur... Et elle mourait d'envie qu'il en fasse de même avec elle. Elle voulait sentir ce sexe chaud et dur comme le roc qui avait effleuré son ventre hier soir au plus profond d'elle-même, elle voulait cette bouche charnue refermée autour de ses seins, et ces mains à la fois douces et fermes se promener à travers sa chevelure.

Elle voulait goûter, se délecter de chaque millimètre carré de Hank, et user jusqu'au dernier les préservatifs qu'elle avait apportés avec elle. A cette idée, une onde fébrile lui traversa le bas-ventre. Elle voulait que Hank lui fasse l'amour tendrement, langoureusement, mais aussi passionnément, furieusement. Elle avait envie d'expérimenter toutes les positions, tous les jeux amoureux dont elle avait rêvés.

Elle avait envie de passer le reste de sa semaine de vacances à faire l'amour avec Hank.

Elle le désirait depuis toujours, était amoureuse de lui d'aussi loin qu'elle puisse s'en souvenir. Et bien qu'elle soit consciente qu'elle aurait peut-être à passer le restant de ses jours loin de lui, elle était prête à courir le risque et à en payer le prix. Même s'il était très élevé. Trop, probablement. Mais elle ne pouvait refuser la possibilité de réaliser le rêve de sa vie. Et, même si cela n'était que temporaire, Hank la désirait, *elle*. Elle avait bien l'intention d'en profiter.

Dès ce soir.

Cette seule idée suffit à la faire frissonner de la tête aux pieds.

Hank se recula pour mieux la jauger, ce qui permit à Samantha de contempler ses yeux bleu azur, assombris par un désir latent et inassouvi.

— Tu es superbe !

Bien qu'elle se sentait tout à fait ridicule dans cet accoutrement de perles et de chaussures à talons, elle apprécia la franchise du compliment.

— Merci, dit-elle d'une voix émue. Espérons que mon poulet frit sera plus convaincant que l'accoutrement dont tu m'as affublée !

— Ton poulet est parfait. Tu ne l'as donc pas goûté ? demanda Hank en fronçant les sourcils.

— Euh, si, bien sûr, mentit-elle.

Comme les viandes blanches ne faisaient pas partie du « régime phéromones », elle avait préféré s'abstenir, craignant que cela n'influe sur son humeur dans quelques heures.

Ce matin elle s'était contentée d'un petit déjeuner léger, après lequel par précaution elle avait avalé un comprimé d'antihistaminique et un bâtonnet de surimi. Elle essaierait d'ingurgiter une barre chocolatée avant le déjeuner, ou une poignée de pignons grillés au miel. Ensuite, à midi, elle mangerait un sandwich au poisson.

Samantha fit une petite grimace. Elle commençait à se lasser du manque de variété de son régime, mais pour rien au monde — pas même ses allergies — elle n'y aurait renoncé. Surtout pas à présent qu'elle approchait du but ! Pourtant, elle rêvait d'un bon steak bien saignant, avec une pomme de terre en robe des champs farcie de crème en accompagnement. Tant pis si elle allait encore devoir endurer des fruits de mer au dîner, du moment qu'elle aurait Hank au dessert ! Cela valait bien quelques efforts.

— Allons-y, dit Hank en lui prenant la main et en l'entraînant hors de la chambre. Le concours va débuter. J'ai chargé Tina d'une double mission : garder ton stand, et épier tes concurrentes.

Samantha lui adressa un sourire fatigué.

— Est-ce vraiment nécessaire, Hank ? Je ne concours pas pour le titre de Miss Amérique, tu sais.

— Bien sûr que c'est nécessaire ! insista Hank. As-tu déjà entendu parler de sabotage ? Les femmes ne se font aucun cadeau entre elles.

Sam se garda de tout commentaire. Il sortit son talkie-walkie de la poche arrière de son pantalon, ce qui donna à Sam l'occasion de lorgner allègrement sur son derrière appétissant. Il appela Tina.

— Nous arrivons, déclara-t-il. Comment se présente le terrain ?

Il mit le haut-parleur et Samantha put entendre leur conversation

— Il y a déjà deux candidates, mais je ne crois pas qu'elles représentent une menace sérieuse, marmonna Tina avant de soupirer longuement dans le haut-parleur. Euh… Je crois que je ne mangerai plus jamais de poulet frit de ma vie.

— Bon, on arrive, dit Hank en ignorant sa remarque.

Il poussa la porte du hall, et ils descendirent les marches du perron d'un pas assuré. Sam écarquilla les yeux en découvrant le nombre de plats de poulets frits déjà déposés devant les jurés.

— Waouh ! s'exclama-t-elle. Tu as fait goûter à Tina tous ces échantillons de poulet ?

— Je ne l'ai pas obligée, précisa-t-il. je lui ai simplement suggéré que ce pourrait être utile.

Sam n'y crut qu'à moitié. Hank n'avait jamais vraiment su suggérer les choses : il les ordonnait.

Ma parole, il semblait vraiment tenir à ce qu'elle remporte l'élection ! Elle l'observa du coin de l'œil, espérant qu'il ne soit pas trop déçu du résultat, car elle ne se faisait aucune illusion quant à l'issue du concours.

Il y avait une cinquantaine de candidates, toutes plus canon les unes que les autres — Sam les avait longuement observées ce matin au petit déjeuner, et son estomac s'était noué à la vue de ces corps longilignes et parfaitement hâlés.

En réalité, si Hank n'avait pas été aussi motivé par sa participation à l'élection, elle se serait sans doute désistée afin d'éviter une humiliation qu'elle savait prévisible. Elle soupira longuement.

La plage était bondée de spectateurs, de candidates et de jurés, ainsi que de serviettes de bain, chaises de plage et autres parasols. Des tables rouges et blanches étaient alignées sur le sable, chacune d'entre elles exposant le thé glacé et le poulet frit de chaque candidate. La rumeur de la foule s'amplifiait alors que l'annonce des notes du concours de cuisine approchait.

Rongée par le trac, Samantha apposa son numéro de participante sur le devant de son tablier, et rejoignit Tina qui montait la garde devant sa table.

— Joli tablier, dit Tina avec un sourire compatissant. C'est une idée de Hank, n'est-ce pas ?

— Et c'est exactement ce qui l'aidera à faire la différence avec ses concurrentes, expliqua Hank. Elle est sexy, mais garde un côté femme d'intérieur : le fantasme de tout homme. Pourquoi croyez-vous donc que les costumes de soubrette soient si populaires ?

— Parce que les hommes n'ont aucun goût ? suggéra Tina en lui décochant un regard exaspéré.

— Non, répliqua-t-il en feignant une patience à toute épreuve. Parce que cela leur donne l'illusion d'avoir une servante, une femme qui est là pour les servir. Les hommes adorent que l'on les serve, voilà tout !

Samantha garda cette théorie fumeuse quelque part dans un coin de sa tête, afin d'être sûre de la resserver plus tard, lorsque Hank l'énerverait, pour le remettre à sa place.

— Peu importe, dit Tina. Pour ma part, je vais me chercher un petit carré de sable tranquille.

— Installez-vous derrière les juges. Je veux que vous m'informiez par talkie-walkie de tous les développements, murmura Hank en ajustant de ses mains perfectionnistes la toile de tente qui encadrait la table de Sam sur laquelle reposait son plat fumant de poulet frit. A présent, Sam, détends-toi, et n'oublie pas de sourire.

Elle acquiesça, inspira profondément et résista à l'envie de lui adresser un salut militaire.

Hank se pencha vers elle et déposa un baiser furtif mais appuyé sur sa joue.

— La prochaine fois que tu jouiras, je veux pouvoir savourer l'intégralité de ton plaisir, lui susurra-t-il au creux de l'oreille.

Sam manqua de s'étrangler, tandis qu'une onde de chaleur incontrôlable lui traversait le bas-ventre. Elle ne put réprimer l'image de la chevelure blonde de Hank entre ses cuisses.

— Garde bien cela à l'esprit, murmura-t-il en clignant des yeux. Car sache qu'à la minute où ce concours de cuisine est terminé, je compte bien te conduire au septième ciel... Je commencerai par t'arracher ta robe, ma jolie, mais tu garderas ton tablier.

A ces mots hautement suggestifs, Hank tourna les talons et s'éloigna. Ses paroles et tout ce qu'elles avaient de sous-entendu résonnaient à l'esprit de Sam, dont l'imagination n'eut aucun mal à visualiser ce qu'elles impliquaient.

« Garde bien cela à l'esprit. » Comme si à présent elle allait pouvoir penser à autre chose... Elle en resta la bouche sèche.

Elle s'efforça de focaliser son attention sur le concours. Les dix juges commençaient à évaluer les échantillons de poulet et de thé. Chacun d'entre eux devait noter un groupe de cinq candidates et désigner une gagnante parmi elles. Ce qui réduirait le nombre de concurrentes en lice à dix. Ensuite ils se réuniraient pour désigner celle dont la cuisine représentait le mieux la tradition sudiste. Ils procéderaient de la même façon pour élire Miss Plage dans la soirée lors de la cérémonie officielle.

Quand le juge responsable du groupe de Samantha, un petit bonhomme trapu, arriva devant sa table, elle lui offrit un sourire qui collait parfaitement avec son costume de soubrette… Elle n'hésita pas à redresser ses épaules de façon à mettre en valeur son décolleté. Le juge lui retourna son sourire, but une gorgée de thé glacé et choisit une cuisse de poulet dans laquelle il mordit allègrement.

Alors que Sam se demandait si en vue de séduire — pardon, de convaincre — le juge elle devait elle aussi battre des paupières de façon lascive comme elle avait vu faire certaines candidates, elle entendit d'horribles gargouillements à quelques tables d'elle. Elle tourna les yeux, cherchant à identifier la cause des cris. Dès qu'elle comprit qu'un juge était en train de s'étouffer, elle quitta sa table, se précipita de l'autre côté de la plage — ce qui ne fut guère aisé en talons aiguilles — et, sans attendre, elle ceintura l'homme et pratiqua la manœuvre d'Heimlich.

Une rumeur traversa la foule et se transforma en cri de surprise général lorsque le malheureux régurgita un morceau de poulet de la taille d'une balle de golf qui atterrit dans un pichet de thé glacé.

L'homme se pencha en avant et inspira une grande bouffée d'air. Aussitôt les juges, les candidates et autres spectateurs — dont Hank — se ruèrent vers lui.

— Walter, ça va aller ? Tu veux qu'on appelle une ambulance ? lui demanda Hank en donnant une tape amicale sur l'épaule du juge.

Walter secoua la tête.

— Ma parole ! s'exclama-t-il les yeux encore vitreux. J'ai bien cru que cette fois mon heure était venue. Merci, jeune fille… Je vous dois une fière chandelle.

Samantha était encore sous le choc.

— Je vous en prie. C'est bien naturel, répondit-elle, le cœur battant.

Une fois que tout le monde fut certain que l'état de Walter s'était stabilisé, chacun retourna à son poste, et l'évaluation reprit son cours. A sa grande surprise, Sam fut sélectionnée pour la finale. Hank l'applaudit, l'air triomphal, tout en lui faisant signe de sourire plus largement. Elle se retint de lever les yeux au ciel et obtempéra.

Chacun des dix juges revint déguster les plats des finalistes — Walter avec un peu plus de prudence que les autres — puis ils se réunirent pour délibérer. Une clameur d'impatience traversa la foule.

Samantha devenait de plus en plus nerveuse. Elle croisa le regard de Hank qui lui souriait avec un air confiant. Seigneur, quelle chance de l'avoir auprès d'elle ! se dit-elle en fondant devant ce sourire aussi sexy. Vivement que cette maudite élection se termine et qu'ils puissent s'enfermer dans leur chambre…

A l'idée de Hank et elle dans le même lit, elle sentit un point incandescent à l'intérieur de ses cuisses, son sang se mit à bouillonner au creux de ses veines, et la pointe de ses seins se durcit contre le stupide tablier rouge cerise qu'elle portait. Un désir fou la submergea, et elle se demanda si elle saurait avoir la patience d'attendre la fin de ce maudit concours avant de pouvoir goûter à la récompense qui l'attendait...

— ... et la première place revient à Samantha McCafferty ! annonça Walter d'une voix joviale dans le micro.

Incrédule, Sam cligna des paupières. Comment ? La *première* place ? Elle ? Elle s'était tellement laissé emporter par ses fantasmes avec Hank qu'elle n'avait écouté que distraitement les juges prendre la parole au micro.

— Félicitations, jeune fille ! Vous êtes vraiment maîtresse dans l'art de préparer une volaille... et vous êtes aussi d'une rapidité et d'un agilité remarquables, ajouta-t-il, les yeux pétillants de reconnaissance.

Hank se précipita sur elle, la fit virevolter et lui donna un baiser brûlant, un baiser de victoire, qui ne manqua pas d'attiser le désir torride qui ne l'avait pas quittée. Le corps de Hank vibrait d'excitation et ses yeux étincelaient de joie.

— Alors, ma jolie : je t'avais bien dit que tu avais toutes tes chances, hein ?

— Je...

— Déjà une étape de remportée ! Encore une et tu seras sacrée Miss Plage ! s'exclama Hank.

Ses yeux azur étincelaient de confiance, et apparaissaient à Sam comme une véritable incitation à la débauche.

— Allons-nous-en, dit-il, je meurs de faim.

Cette voix rauque ne laissait planer aucun doute sur sa faim : il ne s'agissait pas de poulet ! Il l'entraîna vers la maison, appela Tina sur son talkie-walkie pour lui dire qu'il ne serait pas disponible pendant quelques minutes, puis referma la porte de façon décidée.

— Quelques minutes seulement ? lui demanda Sam d'un air taquin. Je n'aurais jamais cru que tu étais du genre rapide…

— Qui a parlé de faire les choses rapidement ? demanda-t-il en se rapprochant d'elle alors qu'il ouvrait la porte de leur chambre.

Sam fronça les sourcils.

— Je pensais que…

— Eh bien c'était là ta première erreur, dit-il en défaisant la fermeture Eclair de sa robe et en la faisant glisser sous ses épaules. Je ne veux plus que tu penses, mais que tu ressentes.

Après avoir dit cela, il lui ôta son soutien-gorge, puis sa culotte de quelques gestes habiles. Bientôt Sam se retrouva entièrement nue sous son tablier en dentelle qui dissimulait à peine ses seins. Sans attendre, Hank se pencha vers elle, dégagea un sein de dessous le tissu et referma ses lèvres autour de son téton.

Sam poussa un soupir lascif. Une fois encore, elle avait les jambes en coton. Elle se laissa tomber sur le lit, entraînant Hank avec elle. Il titilla l'autre sein entre le pouce et l'index tandis qu'il agaçait le premier avec sa langue.

Décidément, l'Opération Orgasme allait être un succès total ! Déjà, ce qu'elle avait ressenti hier était unique. Aujourd'hui, elle expérimentait les caresses de Hank sur sa poitrine. Elle laissa glisser ses doigts dans sa chevelure et se cambra pour mieux enfouir la pointe de son sein dans la bouche goulue de celui qui allait devenir son amant. Une onde fiévreuse se répandit dans tout son bas-ventre, et elle dut resserrer ses cuisses sous l'effet du flot de désir qui colonisait son entrejambe.

— Ma jolie, murmura Hank, j'adore vraiment tes seins, mais je ne suis pas... tout à fait rassasié.

Il promena alors sa bouche jusqu'à son bas-ventre, saisit ses jambes et les passa par-dessus ses épaules, puis posa ses lèvres contre son sexe humide et brûlant.

Aussitôt, un petit cri silencieux s'échappa de la gorge de Sam, tandis que ses reins frissonnaient de plaisir. Hank glissa sa langue entre les replis de son sexe, puis remonta jusqu'au petit bouton de chair tout en enfouissant un doigt en elle. Elle sentit son sang bouillir au creux de ses veines et se cabra, reconnaissant le signe avant-coureur d'un orgasme imminent.

Ce fut différent cette fois. Son corps réagit plus vite encore que la veille, mais ses sensations n'en furent que plus puissantes. Le sang se mit à pulser de plus en plus fort à l'intérieur de ses veines, et Sam eut l'impression que si cette exquise torture ne s'arrêtait pas bientôt, elle allait se désintégrer de plaisir avant même d'atteindre le septième ciel. Elle se tortilla sous les divines caresses de Hank, le suppliant de la délivrer de cette prison de plaisir, et juste à l'instant où elle pensait se désintégrer sous l'effet d'autant d'égards, elle eut le souffle coupé, crut apercevoir des petites étoiles derrière ses paupières fermées, et son corps tout entier fut secoué d'un violent spasme.

— Mmm, soupira Hank contre sa peau. Voilà, je suis rassasié ! Pour le moment, du moins...

Doucement, il desserra son étreinte et se redressa. Il la contempla de la tête aux pieds, s'attardant sur sa bouche, ses seins et son entrejambe.

— Je déteste avoir à faire cela, dit-il en plissant le front d'un air de regret, mais je dois filer. Le devoir m'appelle... J'ai rendez-vous avec un fournisseur important.

Sam, qui n'était pas tout à fait remise de son époustouflant orgasme, acquiesça en posant un bras sur son front.

— Je comprends, dit-elle.

Elle aurait volontiers prolongé leurs ébats. Car si Hank lui avait déjà donné deux orgasmes depuis hier soir, il n'avait rien reçu en retour.

Et pourtant, Dieu sait si elle en mourait d'envie...

Hank se dirigea vers la porte.

— A plus tard, murmura-t-il d'une voix rauque. Oh, j'allais oublier : il y a quelque chose pour toi dans le placard.

Et sur ces mots énigmatiques, il sortit.

Etait-ce un cadeau ? Sam plissa le front en espérant qu'il ne s'agissait pas encore d'un de ces costumes ridicules dont Hank semblait être spécialiste. Intriguée, elle se leva du lit sans attendre et alla ouvrir le placard.

Elle écarquilla les yeux, et posa ses deux mains sur ses lèvres, les yeux embués de larmes.

— Oh, Hank..., murmura-t-elle très émue.

Elle sentit alors les larmes lui mouiller le visage.

10.

— Ma parole, mais pourquoi met-elle autant de temps ?
s'exclama Hank en consultant une énième fois sa montre.
Il reste moins de dix minutes avant le début de la cérémonie !

— Tu connais les femmes, il leur faut toujours des heures
pour se préparer, dit Jamie en haussant les épaules. Et ce
n'est pas parce que tu fais les cent pas qu'elle arrivera plus
tôt, mon pote !

Hank secoua la tête. Il était beaucoup trop impatient pour
rester assis sur son siège. Depuis le moment où il l'avait
quittée, il avait brûlé d'impatience de la retrouver et de
s'enfouir en elle. Lorsqu'il avait quitté la chambre, avant
de s'éloigner, il n'avait pas pu s'empêcher d'épier à travers
la serrure la réaction de Sam à son cadeau.

Il avait entendu son petit cri d'étonnement et son cœur
s'était serré. Sam avait parcouru des doigts le tissu délicat de
la robe moulante, le visage illuminé de joie et de surprise.
A cet instant, il avait décidé que cette robe ne serait qu'un
début et qu'il lui ferait beaucoup d'autres surprises. Sam
méritait tout ce qu'il y avait de plus beau.

Contrairement aux autres candidates à l'élection de Miss
Plage, la jeune femme était arrivée à Orange Beach sans

aucun vêtement sophistiqué. Elle avait donc besoin d'une tenue un peu plus formelle que la simple robe de plage qu'elle avait apportée avec elle dans ses bagages. Il avait passé quelques coups de fil et avait dégoté une boutique à Foley qui avait accepté de lui livrer la robe idéale pour la cérémonie officielle. Par téléphone, il avait suggéré à la vendeuse quelques gammes de couleurs, précisant la taille de Sam — il s'était autorisé à regarder l'étiquette d'un de ses shorts dans la chambre — et avait résumé en un mot le critère impératif auquel devait répondre le vêtement : *sexy*.

La boutique de mode ne l'avait pas déçu.

Il brûlait d'envie de voir Sam dans cette robe magnifique. Tout comme il rêvait de la lui ôter, plus tard.

Ses paumes le démangèrent à l'idée de se promener sur la peau soyeuse de Sam. Il dut faire un effort surhumain pour contrôler cette déferlante de désir. Pour l'heure, il devait rester concentré sur le concours, et surtout ne pas rater l'entrée de Sam.

Il avait passé le reste de l'après-midi à régler les détails pour leur dîner de ce soir, puis avait habilement posé quelques questions en apparence anodines aux jurés « en civil ». Après mûre réflexion, Hank avait décidé de ne tirer aucune ficelle en faveur de Samantha — elle n'en avait pas besoin. Sam était déjà parmi les favorites de l'élection, et il était parfaitement inutile qu'il intercède en sa faveur auprès du jury.

Cela dit, il ne s'était pas privé de lâcher quelques petites phrases flatteuses à son égard, à droite, à gauche. Il avait habilement mentionné le fait qu'elle avait sacrifié une partie de ses vacances pour l'aider à gérer la maison d'hôtes — d'ailleurs, elle avait de nouveau passé l'après-midi à travailler sur le système de réservation — insistant sur sa nature généreuse et dévouée, ainsi que sur toutes ses qualités au quotidien.

Un nœud d'anxiété se forma au creux de sa poitrine. Il espérait vraiment que Sam allait apprécier ce qu'il avait prévu pour eux deux ce soir. Il avait fouillé au plus profond de sa mémoire, s'efforçant de se rappeler les goûts de Sam, et avait organisé ce qu'il espérait être une soirée entièrement dédiée à elle et à son plaisir, afin de l'épater et de la séduire. Après tout, c'était bien ce que Sam désirait : séduire et être séduite. C'était ce pour quoi elle était venue à Clearwater. Eh bien, elle allait être servie !

A condition qu'elle accepte de le laisser faire.

Avec un peu de chance, leur dîner de ce soir serait l'occasion de célébrer un certain nombre de choses. Comme le début d'une toute nouvelle relation, ou une victoire à l'élection de Miss Plage. Hank souhaitait réellement voir Sam remporter ce titre, et ce pour plusieurs raisons, la plus évidente étant la perspective de la voir revenir vivre à Orange Beach.

Il la voulait ici.

Près de lui.

Jamie émit un discret sifflement, puis murmura d'une voix à peine audible :

— Waouh !

Hank se redressa aussitôt, sentant la fragrance unique qui était celle de Sam. Ce parfum subtil et fruité lui donna la chair de poule et embrasa toutes les cellules de son corps. Lentement, il tourna la tête et ce qu'il vit lui coupa littéralement le souffle.

Plus belle que jamais dans sa robe de cérémonie, Sam lui adressa un sourire nerveux.

— C'est pile ma taille ! dit-elle.

Incapable d'articuler la moindre parole, Hank acquiesça d'un signe de tête. En effet, le vêtement lui allait comme un gant. Sa couleur jade s'accordait parfaitement avec le teint de Sam et la couleur de ses yeux, et soulignait les reflets cuivrés de ses longues boucles.

Hank n'y connaissait rien en mode, il était incapable de décrire la coupe de la robe, ni d'en nommer le tissu ; mais tout ce qu'il savait, c'était que Sam était absolument divine. Absolument divine et incroyablement sexy.

La robe était largement décolletée, montrant la courbe affolante de ses seins. Le tissu moulait divinement l'arrondi de ses hanches et descendait jusqu'aux chevilles. La robe était fendue depuis l'ourlet jusqu'à mi-cuisses, révélant suffisamment les jambes de Samantha pour assécher la gorge de Hank. Lorsqu'elle se déhanchait, on apercevait quelques paillettes dorées étinceler sur sa peau laiteuse.

La jeune femme avait relevé ses cheveux en un chignon lâche, laissant quelques mèches retomber sur sa nuque. Son style était à la fois sexy et élégant. Hank en eut le souffle coupé.

Une paire de diamants fantaisie pendait à ses oreilles et une chaîne en or portait une pierre précieuse qui venait se nicher au creux de ses seins. Sam avait souligné son regard d'un trait de crayon vert mousse et rehaussé ses lèvres d'un rouge framboise.

Hank croisa son regard. Il ne chercha pas à dissimuler son émotion — il était en proie à une érection impromptue — et lui adressa un clin d'œil avant de murmurer à son tour :

— Waouh !

A cet instant, Sam poussa un soupir et il vit la tension s'alléger sur son visage et ses épaules.

— Merci, chuchota-t-elle en le regardant attentivement. Toi aussi, tu es très « waouh » ce soir…

Hank avait troqué son habit de plage pour un pantalon en lin et une chemise de soie couleur jade qu'il avait choisie parce qu'elle était assortie à la robe de Sam.

— Tu sais, je suis aussi un excellent homme d'intérieur, dit-il avec un haussement d'épaules faussement désinvolte.

Sam inclina légèrement la tête. Hank remarqua non sans plaisir que ses yeux s'étaient mis à briller d'une lueur complice ainsi que d'une certaine fébrilité.

— Je n'en doute pas, répondit-elle.

— Il est peut-être temps que tu rejoignes tes concurrentes sur la plage, déclara Jamie en les faisant tous les deux sursauter.

Hank avait complètement oublié la présence de son ami.

— Tu es prête ? demanda Hank à Samantha.

— Prête comme jamais ! acquiesça-t-elle nerveusement.

Hank lui offrit son bras et lui adressa un sourire confiant.

— C'est dans la poche, *baby*.

— C'est toi qui le dis…, murmura-t-elle en soupirant.

— J'en suis *certain*, lui assura-t-il.

C'était la vérité. Sam était sans conteste la plus belle femme de ce concours. En fait, elle était la plus belle femme du monde. Impossible d'imaginer que les juges puissent rester aveugles devant une telle beauté.

Samantha laissa Hank la conduire jusqu'au sable. Si elle n'avait pas vu la façon dont son visage s'était illuminé lorsqu'il l'avait vue arriver, elle aurait sans doute été dévorée par le trac.

A vrai dire, elle se moquait bien de savoir si les juges la trouvaient jolie ou non, la seule personne dont l'opinion comptait l'avait déjà assurée du principal : elle était belle à ses yeux.

Il n'y avait qu'à voir la protubérance au creux du pantalon de Hank si elle avait eu besoin d'une confirmation. Un frisson lui parcourut la colonne vertébrale et elle sentit ses tétons durcir contre le tissu léger de sa robe. Le fait de savoir qu'elle avait le pouvoir d'exciter Hank à ce point, rien qu'en se montrant à lui, ne lui donnait qu'une envie : faire l'amour. Elle avait attendu cette nuit avec lui pendant toute sa vie. Et maintenant, elle allait enfin y avoir droit.

A chaque seconde qui passait, elle sentait son corps de plus en plus impatient de retrouver les bras de Hank et de pouvoir lui donner du plaisir à son tour.

Elle était déjà tellement émoustillée qu'il aurait suffi que Hank l'effleure pour déclencher un nouvel orgasme. Une onde de désir se propageait au plus profond d'elle-même, lentement. A présent qu'elle était si proche de son but, elle s'apercevait qu'elle n'avait jamais été aussi excitée et impatiente de toute sa vie.

Ce soir, elle avait la fièvre, et rien ne pourrait la calmer à part Hank. Elle se consumait d'envie pour lui, brûlait de le recevoir entre ses cuisses, au plus profond d'elle-même. Rien que le fait de se souvenir des deux orgasmes qu'il lui avait donnés simplement en la caressant lui suffisait pour que les battements de son cœur s'accélèrent, que la rougeur monte à ses pommettes et que le désir lui vrille le bas-ventre, faisant palpiter le cœur de sa féminité.

Elle était à bout de nerfs et ne souhaitait qu'une chose : que cette stupide élection se termine. Vite.

De toute façon, et quoi qu'en dise Hank, elle n'avait quasiment aucune chance d'être élue Miss Plage. Elle n'avait plus qu'à prendre son mal en patience en attendant la fin de la cérémonie.

Curieusement, Hank semblait attacher une grande importance à sa participation à ce concours de beauté, et il s'était donné beaucoup de mal afin de s'assurer qu'elle aurait tous les atouts en main. Elle en était touchée. Il y avait si longtemps que personne ne s'était donné autant de mal pour elle. La cérémonie ne devait durer qu'une heure, une heure et demie au maximum. Après tout, elle pouvait bien attendre encore un peu après toutes ces années de désir refoulé...

Hank et elle arrivèrent au niveau des autres demi-finalistes. Il se pencha vers elle et l'embrassa derrière l'oreille, ce qui déclencha aussitôt une exquise décharge électrique qui lui parcourut tout le corps.

— Vas-y, ma belle ! murmura-t-il d'une voix rauque et sensuelle.

Samantha inspira profondément et s'efforça de sourire avant de se diriger vers le podium où avait été installé un long rideau de spectacle. C'était la première fois qu'elle participait à un concours de beauté, et elle ignorait ce que l'on attendait exactement d'elle en dehors d'un sourire et d'une démarche élégante. La coordinatrice qui avait accueilli les candidates ce matin leur avait simplement expliqué que tout ce dont elles devraient se souvenir était de suivre les croix de placement marquées au sol.

La scène formait une sorte de T géant. Sam avait consigné de monter sur le podium par la gauche, de marcher jusqu'à la croix numéro 1, de s'arrêter et de sourire au public, puis de gagner la croix numéro 2 située au bout de l'avant-scène, de faire une pause et de sourire de nouveau, avant de pivoter sur ses talons et de rejoindre la croix numéro 3. Là encore elle devrait faire une pause et sourire, avant de quitter la scène par la droite.

Le maire, M. Flannagin, un homme corpulent et d'humeur joviale, ouvrit les festivités.

— Bienvenue à toutes et à tous pour cette première édition de l'élection de Miss Plage ! commença-t-il en se balançant sur ses talons. Mes chers amis, vous n'allez pas être déçus. Lorsque nous avons décidé d'accueillir ce concours de beauté sur notre plage, nous nous sommes demandé quels étaient les critères qui faisaient d'une femme une vraie miss. Voici ce que nous en avons conclu : une miss est une femme qui se doit d'être gracieuse, de savoir préparer du poulet frit et du thé glacé, d'être fière et digne de ses origines et de sa culture sudiste, et surtout qui doit être capable de répondre à des questions pointues de culture générale. C'est pourquoi nous avons concocté pour nos finalistes un jeu intitulé *Questions pour une Miss.*

Une rumeur parcourut le public à l'annonce de cette dernière épreuve. Sam se mordit la lèvre.

— Bon, eh bien, que diriez-vous de débuter officiellement notre cérémonie ? poursuivit M. Flannagin une fois que le calme fut revenu. Cela dit, avant de commencer, je tiens à remercier tous nos sponsors sans qui cet événement n'aurait pas été possible — notre concessionnaire Ford préféré pour avoir offert ce magnifique 4x4, l'association des amis d'Orange Beach pour être parvenue à collecter les dix mille dollars, et enfin l'agence de voyage Mitchell's Travels pour ce splendide voyage pour deux personnes aux

Bahamas. Comme vous le constatez, notre gagnante ne repartira pas les mains vides, loin de là !

Samantha soupira. Elle troquerait avec plaisir son vieux tacot contre un tout-terrain neuf, renflouerait volontiers son compte en banque de dix mille dollars, et partirait avec joie sur une île déserte. Elle s'imagina sans peine acheter une maison ici, à Orange Beach.

De nouveau, elle se mordit distraitement la lèvre, observant demi-finalistes autour d'elle. Ces femmes étaient de *vraies* beautés. Elle n'avait aucune chance de duper les membres du jury — contrairement à Hank qui par miracle s'était montré sensible à son taux explosif de phéromones.

A cette idée, son cœur se serra. Elle n'était pas fière de ses petites manœuvres, loin de là. Car après tout, aussi cruel que soit le mot, elle avait bien dupé son meilleur ami… Lorsqu'elle avait décidé d'utiliser ce régime pour l'aider à trouver un amant pour les vacances, elle ne s'était pas rendu compte de la duplicité de sa démarche. Elle n'avait pas vraiment mesuré le degré d'imposture de son attitude.

Elle se devait de parler à Hank de son « régime phéromones » et d'être honnête avec lui. Bien sûr, il serait offensé et prétendrait que les phéromones n'avaient rien eu à voir avec sa soudaine attirance pour elle. Mais Samantha savait bien quelle était la réalité. En admettant qu'il ait réellement éprouvé cette attirance depuis des années, il était clair que sans les phéromones, Hank ne lui aurait jamais livré ses sentiments. Après tout, il les avait gardés pour lui pendant toutes ces années, ne laissant rien filtrer.

Essayant désespérément de se raisonner, Sam sentit un poids tomber sur sa poitrine. Elle ne pouvait pas dire la vérité à Hank. Elle était trop amoureuse de lui pour refuser l'offre qu'il lui avait faite. Hank la *désirait* — elle avait largement pu le constater à présent — il la désirait vraiment. Et peu importe si cela n'était dû qu'au régime qu'elle avait inventé !

Tant pis si elle ne pensait qu'à l'instant présent sans se préoccuper des conséquences à long terme. Cela était plus fort qu'elle. Du plus loin qu'elle se souvienne, elle avait toujours été amoureuse de Hank, rêvant qu'il la regarde un jour comme il venait de la regarder ce soir. Avec des yeux affamés de désir et de convoitise. Au moins, même si cela ne serait que pour quelques instants, Hank lui appartiendrait. Elle s'inquiéterait des conséquences de sa décision plus tard — même si cela signifiait de probables torrents de larmes et un cœur brisé — la tentation était trop forte, et elle était prête à en payer le prix.

Elle sentit un léger sourire se former sur ses lèvres. Comment refuser une nuit avec l'homme de ses rêves ?

Cela ne se refusait pas, voilà tout.

Tandis qu'elle se tourmentait ainsi, Sam ne pouvait s'empêcher de porter son regard à l'endroit où Hank était assis. Jamie était installé juste à côté de lui, et même s'il était extrêmement sexy, Sam comprit qu'elle n'aurait jamais pu mener son plan à exécution avec un autre homme que Hank. Il était le seul qu'elle ait jamais désiré et aucun autre ne saurait la contenter.

Sans compter que, ce soir, Hank était plus sexy que jamais. Il avait soigneusement coiffé ses cheveux blond clair, mais quelques mèches rebelles avaient glissé sur son front grâce à la brise marine. Vêtu d'une chemise vert jade et d'un pantalon en lin qui moulait parfaitement son postérieur ferme et musclé, aucune femme normalement constituée ne pouvait lui résister. Il sourit à un propos de Jamie et ses dents d'un blanc éclatant mirent en valeur son teint bronzé… Samantha ressentit une vague d'émotion qui lui enserra la poitrine.

Comme s'il avait senti son regard sur lui, Hank releva les yeux vers elle et lui décocha un sourire rassurant, tout en levant le pouce en l'air pour l'encourager. Sam lui retourna son sourire et fit un effort pour se concentrer de nouveau sur la cérémonie. Les candidates défilaient les unes après les autres sur le podium, et bientôt ce fut à elle. Son estomac se noua sous l'effet du trac et de l'anxiété. De toute façon, ce qui était important, c'était que Hank l'attende à la fin de l'élection et qu'ils finissent la soirée ensemble.

— Nous accueillons maintenant la candidate numéro 27, Samantha McCafferty !

Se composant un sourire radieux, Sam monta sur scène.

— Samantha est originaire d'Orange Beach, mais elle exerce actuellement son métier de diététicienne à Aspen, dans le Colorado. Durant son temps libre, Samantha aime assister à des reconstitutions historiques de la guerre de Sécession, et fait du bénévolat dans une maison de retraite près de chez elle.

Le sourire de Sam se figea. Elle n'avait pas écrit cela sur sa feuille d'inscription ! Jamais elle n'avait assisté à la moindre reconstitution historique ! Elle tourna les yeux vers Hank, qui paraissait très content de lui et continuait à lui faire des signes d'encouragement. Sam se dit qu'elle allait lui arracher les cheveux un par un. Enfin, seulement après avoir couché avec lui !

— La chanson préférée de Samantha est *If Heaven Ain't a Lot Like Dixie* de Hank Williams Jr., et elle pratique assidûment la couture, ajouta M. Flannagin en souriant.

En somme, cette jeune femme possède toutes les qualités d'une vraie miss !

Alors qu'il prononçait ces mots, Sam arriva à l'autre bout de la scène, où elle s'arrêta cinq secondes pour sourire au public. Puis elle suivit les marquages au sol, se retourna pour un dernier sourire avant de quitter la scène.

Une fois au pied du rideau, elle croisa le regard de Hank dans le public et lui fit signe de la rejoindre.

Il arriva, plus rayonnant que jamais.

— Tu as été fantastique ! Je t'assure, tu étais absolument subli…

Sans le laisser finir, Sam lui donna un coup à l'abdomen.

— Tu as falsifié mon bulletin d'inscription ! rugit-elle. Comment as-tu pu faire une chose pareille ? Et pourquoi ?

— J'ai lu ta fiche, expliqua Hank en rougissant, et je me suis dit que je pouvais sans doute la rendre plus épatante.

— *Epatante ?*

— Oui. Il ne s'agit pas là d'un simple concours de beauté, alors je me suis dit qu'il fallait que ta personnalité apparaisse plus adaptée au profil d'une gagnante potentielle.

— Tu as menti ! murmura Sam entre ses dents, furieuse. Je n'ai jamais assisté à une reconstitution historique de toute ma vie… Encore moins une reconstitution de la guerre de Sécession. Quant à la couture, je ne sais même pas coudre un bouton ! Franchement, Hank, qu'est-ce qui t'a pris ?

— Je veux que tu gagnes, voilà tout, dit-il d'une voix sincère. Je veux que tu reviennes vivre ici.

Hank avait toujours eu un don pour dire les choses de but en blanc, mais là… Sam sentit sa colère, pourtant

156

justifiée, s'évanouir devant une réponse aussi franche et attendrissante.

— Eh bien, merci, j'apprécie ton geste, répondit-elle, soudain étrangement apaisée. Mais dis-moi… Tu n'as pas fait autre chose, n'est-ce pas ?

Il secoua la tête, mais Sam ne fut pas convaincue.

— Hank… ? répéta-t-elle d'une voix menaçante.

Il déposa un baiser furtif sur sa joue et se redressa.

— Ils vont annoncer le nom de la gagnante d'un moment à l'autre, murmura-t-il. Je ferais mieux de regagner ma place.

Il tourna les talons et disparut avant que Sam ne puisse ajouter quoi que ce soit.

— Bon sang, Hank ! J'espère que tu n'as pas fait une autre bêtise, marmonna Samantha entre ses dents.

La musique de la cérémonie retentit et Samantha rejoignit les autres concurrentes qui attendaient en ligne. Visiblement, les jurés s'apprêtaient à annoncer le nom des finalistes. Sam ne pouvait s'empêcher de se demander si Hank avait commis un autre forfait pour favoriser sa candidature. Malgré son anxiété, elle se composa un sourire radieux et monta sur scène.

— Mesdames et messieurs, les jurés ont sélectionné les finalistes de ce soir ! annonça M. Flannagin avec solennité, tout en agitant l'enveloppe blanche entre ses doigts. Alors… les nominées sont… Tammy Nichols, Kim Patterson…

L'estomac de Sam se nouait un peu plus à chaque nom prononcé et elle se retint de se ronger les ongles un à un. Elle savait qu'elle n'avait aucune chance, mais quelque part au fond d'elle, elle aurait aimé se tromper…

— Chloe Waters, Lauren Walker…

Hank serait si déçu si elle n'accédait pas au moins à la finale après tout le mal qu'il s'était donné pour elle. Ne serait-ce que pour lui, elle avait envie d'y arriver. Certes, malgré les efforts qu'elle avait faits pour s'améliorer, l'apparence ne faisait pas tout dans la vie, et pourtant...

— Lori Horn...

Sam relâcha les épaules, certaine que le dernier nom à être prononcé ne serait pas le sien. Tant pis si elle ne remportait pas l'élection ; après tout, elle repartirait avec un lot de consolation de taille : Hank.

— ... et Samantha McCafferty ! termina M. Flannagin.

Il y eut au moins deux secondes de battement entre le moment où Sam entendit son nom et celui où elle comprit que c'était le sien. Hank se leva d'un bond de son siège en sautillant comme un dément. Elle était finaliste ! Elle n'arrivait pas à y croire.

— J'aimerais remercier toutes les candidates, reprit le maire en désignant les jeunes femmes. Ne sont-elles pas toutes ravissantes ? A présent, je vais demander à nos finalistes de bien vouloir s'avancer pour prendre part à *Questions pour une Miss*. N'oubliez pas qu'il ne suffit pas d'avoir un joli minois pour prétendre être une vraie miss ! Il faut aussi savoir faire fonctionner ses méninges...

Si durant toute la soirée Sam s'était forcée à sourire, cette fois elle n'eut plus aucun effort à faire pour être radieuse. Parmi toutes ces femmes sublimes, les juges avaient estimé qu'elle possédait les qualités pour aller en finale. Peu à peu, son estomac se dénoua et un sentiment apaisant lui réchauffa la poitrine.

Elle croisa une nouvelle fois le regard de Hank. Ses yeux azur brillaient autant de joie que de fierté, et il continuait à applaudir frénétiquement. Il lui fit un nouveau petit signe de victoire et articula en silence :

— C'est dans la poche !

Pour la première fois depuis le début de la soirée, Sam n'avait pas l'impression de perdre son temps. En fait, elle se sentait même de plus en plus détendue… Jusqu'à ce qu'une curieuse démangeaison apparaisse au niveau de son poignet… et ne s'étende jusqu'à son coude.

Oh, non !

Elle sentit un vent de panique la gagner tandis que son visage se décomposait.

L'effet de son médicament antiallergique était en train de prendre fin.

11

« Et zut ! » pensa Hank en voyant Samantha se gratter le plus discrètement possible le poignet tandis que son sourire s'effaçait. Il connaissait ce regard : elle était au début d'une nouvelle crise de démangeaison. Il fronça les sourcils. Contrairement à ce qu'elle lui avait dit, il y avait forcément autre chose que de simples moustiques là-dessous.

Cela ne faisait plus aucun doute.

Samantha n'avait jamais su mentir, et à plusieurs reprises cette semaine il avait remarqué son air coupable. Hank la dévisagea en cherchant à comprendre ce qu'elle pouvait lui cacher.

Il n'en avait malheureusement aucune idée. Autant qu'il sache, Sam n'avait jusqu'alors eu aucun secret pour lui. Enfin, hormis le fait qu'elle n'avait jamais connu l'orgasme — une injustice à laquelle il avait depuis eu l'honneur de remédier. D'ailleurs, même cela, elle avait fini par le lui avouer.

Une pensée affreuse se présenta alors à son esprit : était-elle malade ? Il s'empressa de chasser cette éventualité. Sam était en pleine forme, elle n'avait d'ailleurs jamais paru aussi en forme de toute sa vie. Cela ne pouvait être une maladie. En tout cas, dès la fin de la cérémonie, il ne manquerait pas de lui tirer les vers du nez. Pour l'heure, il préférait se réjouir de son accession à la finale. Un curieux sentiment de joie et de fierté se propagea à travers sa poitrine, le conduisant à pousser un long soupir de satisfaction.

Hank avait bien observé Samantha durant la cérémonie, et bien qu'elle prétende depuis le début que cette élection ne signifiait rien à ses yeux, il avait bien décelé l'anxiété mêlée d'espoir dans son regard.

D'une certaine façon, elle avait toujours eu tendance à ne pas attendre trop de choses de la vie, sans doute afin d'éviter de grandes déceptions. Hank regrettait souvent de la voir se contenter de ce que la vie lui offrait, sans chercher à obtenir mieux. Il soupira en se disant qu'il allait devoir réparer cette autre injustice dans la vie de Sam, et lui réapprendre à rêver, à espérer.

Si seulement elle avait la moindre idée de sa beauté, extérieure et intérieure, elle s'autoriserait certainement un peu plus de rêve et de fantaisie. Les yeux de Hank s'attardèrent sur elle, détaillant la ligne à la fois svelte mais féminine de sa silhouette, puis son visage et ses lèvres si pulpeuses, si tentatrices... Une nouvelle vague de désir le submergea et le fit sentir à l'étroit dans son pantalon. Le simple souvenir du goût si particulier de ses lèvres — ainsi que d'autres endroits de son anatomie — donnait à Hank l'envie de se jeter immédiatement sur Sam, quitte à lui faire l'amour là, tout de suite, au milieu de la scène.

Il ne put réprimer un sourire à cette idée.

Ce genre de fantasme était à l'opposé de ce qu'il avait prévu ce soir après l'élection de Miss Plage, à savoir un long et savoureux jeu de séduction... Et puis, depuis le temps qu'il avait envie de Sam, il était normal qu'il se laisse aller à ce genre d'impatience.

Et dire que, elle aussi, elle avait envie de lui ! Certes, elle paraissait inquiète de cette attirance aussi puissante, semblant même émettre quelques réserves à ce sujet, mais il était clair qu'elle le désirait autant que lui. Tout à l'heure, il avait vu ses yeux vert pâle scintiller d'anxiété, mais également de désir.

Plus la soirée avançait, et plus elle était sexy.

— Qui a eu cette idée de *Questions pour une Miss* ? demanda Jamie en chuchotant.

La question obligea Hank à mettre de côté pour un moment ses pensées libertines. Des pupitres à roulettes ornés du logo du jeu furent placés devant chaque finaliste. M. Flannagin était en train d'installer les buzzers qui permettraient aux candidates de répondre aux questions.

Hank se retint de lever les yeux au ciel et soupira avant de répondre :

— A ton avis ? Monsieur le maire, bien sûr ! Il disait vouloir un concours de beauté « intelligent ».

— Eh bien, c'est réussi ! pouffa Jamie. Penses-tu que Sam puisse s'en sortir ?

— Sans problème, répondit-il.

Sam avait toujours eu une culture générale étendue, et s'intéressait à toutes sortes de sujets. Il leva les yeux vers elle, et constata avec effroi qu'elle était en train de se frotter — toujours discrètement — l'arrière du bras. Elle rougit en le voyant et détourna son regard.

— Qu'a-t-elle à se gratter ainsi ? demanda Jamie qui venait de remarquer son attitude.

— Je n'en sais rien, avoua Hank de plus en plus inquiet. Depuis qu'elle est arrivée à Clearwater, elle passe son temps à avoir des démangeaisons.

— Elle fait peut-être une all…

— Mesdames et messieurs, il est temps de commencer ! lança M. Flannagin tandis que la musique annonçant le début du jeu retentissait. Un buzzer a été distribué à chaque candidate pour lui permettre de répondre aux questions. La règle du jeu est très simple : les candidates doivent appuyer sur le buzzer si elles connaissent la réponse. Attention, chaque réponse devra être formulée sous forme de question !

D'un geste de la main, M. Flannagin désigna sa femme, assise à une petite table à l'extrémité du podium.

— Ma charmante épouse se chargera de compter les scores. La première candidate ayant répondu à cinq questions sera déclarée vainqueur, ajouta-t-il avant de s'adresser aux jeunes femmes. Mesdemoiselles, êtes-vous prêtes ?

Les participantes acquiescèrent tour à tour, y compris Sam. Hank la regarda inspirer une grande bouffée d'air comme pour se donner du courage, tandis qu'elle se grattait distraitement l'autre bras. Inquiet, il fronça de nouveau les sourcils.

— Première question : selon l'*Almanach du Fermier*, quelle est la meilleure saison pour la naissance des veaux dans un troupeau ?

A la grande satisfaction de Hank, Samantha appuya la première sur son buzzer.

— Que représente le printemps ?

M. Flannagin sourit.

— Correct ! Question numéro 2 à présent : d'après Forrest Gump, la vie est comme… Comme quoi ?

Samantha pressa de nouveau son buzzer, mais un centième de seconde trop tard. Une petite blonde à la poitrine généreuse et au teint hâlé fut plus rapide qu'elle.

— Qu'est-ce qu'une boîte de chocolat ? dit-elle.

— Exact ! reprit Flannagin, toujours tout sourires. Mesdames et messieurs, vous pouvez constater que nos candidates ont aussi un cerveau bien fait... Troisième question : quelle beauté légendaire du sud des Etats-Unis a juré devant Dieu que plus jamais elle ne connaîtrait la faim ?

Il y eut plusieurs murmures semblant indiquer que toutes les finalistes connaissaient la réponse, mais, par chance, Sam fut la plus rapide.

— Qui est Scarlett O'Hara ? déclara-t-elle en se penchant légèrement pour se frotter le haut de la cuisse.

Parfait ! se félicita Hank. Déjà deux bonnes réponses. Plus que trois et Sam gagnerait.

M. Flannagin s'éclaircit la gorge.

— Combien y a-t-il de décilitres dans un litre ?

Samantha fut de nouveau la première à appuyer.

— Que représente le nombre 10 ?

Hank ne put s'empêcher de donner un coup de coude à Jamie.

— Qu'est-ce que je t'avais dit ? murmura-t-il fièrement. Tu vois, elle est très douée.

Jamie acquiesça. Depuis le début, Hank savait que Sam remporterait le concours — il en était persuadé — mais son estomac s'était transformé en un véritable sac de nœuds.

— Dans le sud des Etats-Unis, que mange-t-on tradition-nellement pour accompagner un soda au cola ?

Encore une fois, Sam fut la plus rapide.

— Qu'est-ce qu'un biscuit fourré au marshmallow ?

— Correct, Samantha ! déclara M. Flannagin en souriant. Si mes calculs sont exacts, mademoiselle McCafferty n'est plus qu'à un point de la victoire !

Une rumeur d'anticipation traversa le public alors que M. Flannagin s'apprêtait à poser la question suivante.

Hank n'était plus assis que sur le bord de son siège. Il fixait Samantha du regard en espérant qu'elle se tourne vers lui. Ce qu'elle fit enfin. Elle souriait nerveusement, et il fut saisi d'une envie de traverser la foule et de monter sur scène pour l'embrasser. Au lieu de cela il lui adressa un nouveau sourire d'encouragement qui sembla la rassurer.

— Question décisive, annonça M. Flannagin avec beaucoup de gravité. Quelle substance utilise-t-on pour graisser une poêle en fonte ?

De nouveau, une clameur parcourut la foule ainsi que les candidates. Toute cuisinière de Sud digne de ce nom connaissait la réponse. Hank remua sur son siège en essayant de voir qui avait appuyé sur le buzzer en premier, mais comprit à son grand regret qu'il ne s'agissait pas de Sam, mais de la petite blonde qui semblait être la seule concurrente dangereuse pour elle.

— De l'huile ! dit-elle.

— Désolé, ma grande, mais vous n'avez pas répondu par une question…

Soulagé, Hank s'appuya de nouveau contre le dossier de son siège. Ce suspense devenait insoutenable. Il passa machinalement une main crispée dans ses cheveux.

Sam était à une question de pouvoir gagner suffisamment d'argent pour revenir vivre à Orange Beach, et de mettre un terme à cette cérémonie. C'est-à-dire de réaliser tous les désirs de Hank : la voir emménager ici, et lui faire l'amour comme si leur vie en dépendait.

— Mademoiselle McCafferty était la deuxième à avoir appuyé le plus vite sur le buzzer, reprit M. Flannagin d'une voix théâtrale. Samantha, je vous rappelle que le titre de Miss Plage est en jeu : quelle substance utilise-t-on pour graisser une poêle en fonte ?

165

Hank n'avait pas quitté Sam des yeux. Elle souriait d'un air incroyablement serein. Elle déglutit, se frotta l'intérieur du poignet, et articula d'une toute petite voix :

— Qu'est-ce que l'huile ?

— Correct ! s'enflamma Flannagin tandis que Hank bondissait de son siège en applaudissant à tout rompre et en poussant des cris de triomphe.

Elle avait gagné ! Elle y était arrivée ! A côté de Hank, Jamie était debout et applaudissait à l'unisson avec le public.

— Mesdames et messieurs, j'ai l'immense plaisir de vous présenter notre toute première Miss Plage, Samantha McCafferty ! Je vous demande de lui faire un triomphe !

Le visage de Sam oscillait entre allégresse et stupéfaction, mais son sourire était d'une beauté absolument éblouissante. Un hymne local à la gloire de l'Alabama retentit dans les haut-parleurs, mais fut aussitôt noyé sous le tonnerre d'applaudissements émanant de la foule. Madame Flannagin se dirigea au pas de course devant Sam et déposa sur sa tête une magnifique couronne en strass.

A cet instant, le regard vert d'eau de Sam plongea dans celui de Hank qui resta cloué sur place, le souffle coupé. Il eut l'impression d'être aspiré dans une autre dimension, loin, très loin du vacarme et des vivats. C'était comme si soudain il n'y avait plus que Sam et lui à la surface de la Terre. Une émotion inconnue lui enserra la poitrine, causant une accélération affolante de son cœur. Les paumes de ses mains devinrent moites, sa gorge se noua et le reste du monde s'effaça totalement de son champ de vision. Seule Sam et sa beauté rayonnante étaient encore visibles.

Il comprit alors ce qui était en train de lui arriver, et battit des paupières, brisant l'alchimie de l'instant. Apparemment aussi troublée que lui, Sam lui fit un clin d'œil et se tourna vers monsieur le maire qui lui remettait un jeu de clés tandis que sa femme lui tendait un chèque et des billets d'avion.

M. Flannagin entraîna d'un geste enthousiaste Sam vers l'avant-scène, et la présenta à la foule en délire.

— Voici notre Miss Plage ! s'exclama-t-il.

« Voici *ma* beauté », rectifia Hank intérieurement.

— Tu aurais pu conduire, tu sais.

Samantha s'enfonça un peu plus dans le siège en cuir de sa nouvelle voiture, ferma les yeux et soupira.

— Je sais, Hank... Mais dans la mesure où j'ignore complètement où nous allons, je préfère que ce soit toi.

— Eh oui, c'est ce qui s'appelle une *surprise* ! rétorqua-t-il.

Elle sourit, tourna lentement sa tête vers lui et le dévisagea dans l'obscurité. Les lampadaires éclairaient son visage de façon discontinue, soulignant tour à tour la rectitude de son nez et l'angle prononcé de sa mâchoire. Sam se mordit la lèvre, en proie à une nouvelle salve de désir. Elle n'avait qu'à poser les yeux sur Hank pour sentir son cœur s'affoler et son sang bouillonner. Décidément, elle était un cas désespéré.

Et dire qu'elle venait de gagner un concours de beauté ! Cette victoire était aussi inattendue qu'euphorisante.

Pourtant, aussi somptueux que fussent les prix qui accompagnaient sa victoire, ce n'était rien à côté de ce qui l'attendait maintenant que la cérémonie était terminée.

Une nuit de folie avec Hank.

Elle avait attendu cette nuit toute sa vie, et même si elle n'était pas encore certaine de la façon dont gérer les conséquences de ce qu'ils allaient faire, il était hors de question pour elle de changer d'avis. Si Hank en viendrait probablement à regretter ce choix plus tard — lorsque le taux de phéromones qu'elle dégageait serait revenu à la normale — elle savait que, de son côté, quoi qu'il advienne elle n'aurait aucun regret.

Elle tourna de nouveau la tête vers la fenêtre côté passager, se remémorant l'instant où elle avait croisé le regard de Hank au moment où elle avait été couronnée Miss Plage. Il était évident qu'il était fou de joie pour elle, elle l'avait lu dans ses yeux et dans son sourire triomphant. Mais quelque chose de très spécial s'était produit à ce moment-là... Quelque chose qui avait à la fois enthousiasmé et terrifié Sam. Quelque chose qui dépassait une simple attirance physique.

Hank avait soigneusement gardé le secret sur l'endroit où il avait décidé de l'emmener dîner. En tout cas, vu la lueur dans ses yeux bleu azur, Sam se doutait qu'il avait préparé tout un plan pour la séduire — comme si cela était nécessaire !

Elle avait hâte de découvrir ce qu'il avait mijoté. Chaque centimètre carré de sa peau attendait de se délecter de nouveau de Hank, chaque cellule de son corps était en état d'alerte maximale. Sam n'en pouvait plus d'attendre. Elle brûlait d'envie de voir ce qu'il avait concocté pour elle. Il avait été absent la majeure partie de la journée et s'était montré de plus en plus fébrile au fil des heures. Apparemment, il s'était donné corps et âme pour que cette soirée soit un succès, et ce n'était pas la seule idée de faire l'amour avec elle qui l'avait rendu nerveux. Il y avait autre chose, cela se lisait dans son regard brûlant, d'où émanait un curieux mélange de confiance et d'excitation.

Il n'avait pas voulu lui laisser le temps de se changer après le concours. Elle avait dû insister lourdement pour passer une nouvelle tenue, ce qui n'était qu'un prétexte afin de pouvoir prendre en cachette un cachet d'antihistaminique. Car elle avait remarqué que plus le temps passait, et plus la durée d'effet du médicament diminuait. Elle s'était dit qu'elle allait devoir doubler ses prochaines doses, car elle avait bien l'intention d'augmenter encore ses rations de régime miracle pour le dîner de ce soir : l'occasion était trop belle pour ne pas booster son taux de phéromones pour le bouquet final. Certes, elle prenait peut-être des risques, mais le jeu en valait la chandelle. Maintenant qu'elle avait Hank à portée de main, il n'était pas question de courir le risque d'une baisse de ses phéromones. Elle tenait à ce que tout soit parfait pour la nuit qui l'attendait, elle voulait pouvoir en garder un souvenir inoubliable, un souvenir qu'elle pourrait se remémorer lors de ses futures longues nuits de célibat.

Hank conduisit le véhicule tout-terrain jusque dans une allée recouverte en partie par le sable déposé par les vents marins. Il ralentit et se gara au bout de l'allée.

— Nous allons devoir finir à pied, expliqua-t-il.

Puis il se pencha vers Sam et l'embrassa tendrement, langoureusement. Ce baiser était un prélude à la nuit qui allait suivre, et lorsque leurs lèvres se déprirent, Sam pensa qu'elle se dispenserait volontiers du dîner pour passer sur la banquette arrière avec son cavalier, sans plus de cérémonie. Déjà, la pointe de ses seins s'était durcie de désir et une chaude vibration lui enserrait le bas-ventre.

Elle ouvrit la portière en soupirant, et força ses jambes qui la soutenaient à peine à rejoindre Hank devant le coffre du véhicule, dont il était en train de sortir un panier à pique-nique et une lampe torche. Puis il le referma et se tourna vers elle.

— Ne t'inquiète pas, ce n'est plus très loin.

Les mains moites, Sam acquiesça et lui emboîta le pas avec une curiosité grandissante et un désir qui ne l'était pas moins. Tous les articles qu'elle avait pu lire sur le sexe, tous les livres qu'elle avait pu éplucher, toutes les images libertines qu'elle avait pu voir dans les médias se pressaient soudain à son esprit. Son rêve le plus cher, faire l'amour avec Hank, était enfin à portée de main. Elle en était si excitée qu'elle avait l'impression qu'elle allait se consumer sur place. Tentant de reprendre ses esprits, elle s'efforça de penser à autre chose et regarda autour d'elle.

Perplexe, elle fronça les sourcils. Bien qu'elle connaisse relativement bien Orange Beach, elle était incapable de se repérer. Hank avait emprunté la route de Fort Morgan, ils étaient passés devant plusieurs immeubles d'habitation, mais elle était trop absorbée par ce que Hank lui préparait pour avoir repéré avec précision l'endroit où ils se trouvaient.

Un nuage se dissipa juste devant la lune, éclairant brièvement le visage de Hank. Sam contempla ses épaules larges, la ligne masculine de son dos, et s'attarda sur son postérieur toujours aussi appétissant. Elle se mordit la lèvre tandis qu'une nouvelle onde de chaleur lui parcourait le bas-ventre.

— Fais attention, le terrain est en pente, la prévint Hank par-dessus son épaule.

Ils escaladèrent une dune, et lorsqu'ils arrivèrent au sommet, Sam eut le souffle coupé devant la vue qui s'offrait à elle.

Elle s'arrêta. Hank était déjà descendu de l'autre côté quand il se rendit compte qu'elle ne le suivait plus. Il se retourna et lui adressa son sourire diablement sexy.

— Je suppose que madame est impressionnée ! déclara-t-il d'une voix taquine.

Même de loin, Sam remarqua la lueur amusée dansant dans ses grands yeux azur.

Elle déglutit. « Impressionnée » ne suffisait pas à décrire la déferlante d'émotions qui était en train de lui enserrer le cœur devant la beauté du spectacle qui s'étendait sous ses yeux.

— Comment as-tu… Quand est-ce que…, balbutia-t-elle du haut de la dune.

Devant ses yeux, le sentier qui menait à la plage déserte était jalonné de bougies. Sur le sable, une immense toile de tente semblant sortir tout droit d'un conte des *Mille et Une Nuits* était dressée. De longues tentures vaporeuses flottaient dans la brise marine, d'imposantes plantes tropicales encadraient les coins de la tente, et des centaines — oui, des centaines — de bougies illuminaient la scène, leurs flammes ondulant dans l'air tiède de cette soirée d'été.

Devant la tente, une table recouverte d'une nappe en lin blanc était dressée pour deux. Un bouquet de roses, un candélabre et un seau à champagne complétaient le décor. Quelqu'un — sans doute un employé payé par Hank — avait allumé un feu de camp, ce qui ajoutait la touche finale à cette scène irréelle et tellement romantique.

Hank déposa le panier à pique-nique à côté de la table, et Sam regarda sa silhouette disparaître à l'intérieur de la tente. A travers la toile, elle le vit se pencher, et quelques secondes plus tard, la voix profonde et sensuelle de Barry White s'élança dans l'air tiède.

Sam ne put réprimer un sourire.

Hank sortit de la tente et sourit à son tour.

— Simple petite musique d'ambiance, murmura-t-il.

— Je vois que tu as pensé aux moindres détails, remarqua-t-elle.

Finalement, elle se décida à descendre la dune pour rejoindre Hank. Elle n'arrivait toujours pas à croire qu'il avait fait tout cela pour elle.

Pour elle seule.

Ils auraient pu se précipiter dans sa chambre juste après la cérémonie pour faire l'amour — d'ailleurs, elle l'aurait volontiers fait tout à l'heure à l'arrière de son 4x4 flambant neuf — mais, visiblement, Hank avait préféré lui offrir un cadeau inoubliable.

Ce qu'elle aurait pu lui dire, c'est que faire l'amour avec lui serait déjà une expérience inoubliable. Mais Hank avait voulu la combler d'attentions et c'était plus que réussi. Rien n'aurait pu être plus parfait que ce qu'il avait préparé.

La tente était superbe. Sam jeta discrètement un œil à l'intérieur et aperçut des coussins en satin empilés à même le sable. Elle ne put s'empêcher d'imaginer ce que Hank et elle feraient sur ces coussins plus tard dans la soirée. Une onde de chaleur l'embrasa tout entière rien qu'à cette idée.

Des bougies étaient suspendues à différents niveaux des piliers de la tente, créant un jeu de lumière qui donnait l'impression d'être dans une forêt d'étoiles. Les combinaisons de textures et de couleurs, le satin, l'ambiance chaude et tamisée des bougies étaient déjà une fête pour les sens et inspiraient à Sam des images de leurs deux corps nus enlacés voluptueusement.

Sam ne pouvait rien imaginer de plus beau, de plus romantique. Un sentiment doux et tendre enfla au creux de sa poitrine. Un sentiment qui lui noua la gorge et lui embua les yeux.

Hank, qui se tenait debout devant la table et n'en pouvait manifestement plus d'attendre son verdict, leva les yeux vers elle et demanda :

— Alors ? Qu'en dis-tu ?

La pointe d'anxiété qu'elle décela dans sa voix l'émut plus que tout. Hank était suspendu à présent à ses lèvres, quêtant son approbation, son opinion, sa réaction.

— C'est tout simplement époustouflant ! finit-elle par articuler avec un petit rire étranglé. Cela me laisse… euh… sans voix. Je… je ne sais pas quoi dire, Hank.

Elle regarda longuement autour d'elle, incapable de trouver les mots capables de décrire ce qu'elle éprouvait.

— Tu peux commencer par quelque chose comme « merci, Hank », suggéra-t-il avec un demi-sourire.

Sam eut un petit rire gêné.

— Oui, tu as raison. Merci, Hank, répéta-t-elle.

— Tout le plaisir est pour moi, ma belle ! répondit-il doucement en versant du champagne dans une flûte. As-tu faim ?

A ces mots, une nouvelle onde de chaleur la submergea tout entière : faim oui, mais une faim tout autre…

— Pas exactement. Et toi ?

Hank demeurait étrangement immobile. Apparemment il avait remarqué son changement d'attitude. Une lueur coquine se mit à briller dans ses yeux azur.

— J'ai faim…

Dissimulant à peine sa déception, Sam déglutit. Quoi ? Ils avaient attendu toutes ces années, et il voulait encore attendre un repas entier avant de…

— … de toi, termina Hank.

173

A son tour, Sam se figea. Elle plongea ses yeux dans ceux de Hank, et son imagination fertile lui figura aussitôt sa tête blonde entre ses cuisses, en train de l'honorer de ses faveurs.

Cette fois, ils y étaient.

Le cœur battant la chamade, Sam posa sa flûte, s'approcha de Hank et l'embrassa. Au moment où leurs lèvres se touchèrent, chaque hésitation, chaque parcelle de nervosité s'évanouirent, balayés par des années de désir camouflé. Sam transmit l'intégralité de ce désir à Hank à travers leurs lèvres. Après une brève hésitation, elle porta sa main sur son pantalon là où un renflement explicite tendait le tissu.

Il tressauta et émit un exquis gémissement de plaisir qui résonna dans tout le corps de Sam, l'encourageant à aller plus loin encore.

— Dans ce cas, allons-y ! finit-elle par répondre en l'entraînant avec elle à l'intérieur de la tente.

12.

Un rire nerveux s'échappa de la gorge de Hank. Il enlaça Samantha par-derrière. La jeune femme poussa un petit cri de surprise qui se transforma bientôt en rire, alors que Hank la poussait avec lui sur les coussins disposés à terre. Toujours en riant, il l'allongea et s'installa sur elle en enfouissant son nez au creux de son cou. Elle sentit le poids chaud et rassurant de son corps sur le sien, chacune de ses cellules s'embrasa alors qu'un délicieux frisson lui parcourait la nuque. De nouveau, elle était à quelques secondes d'un orgasme phénoménal. Or, cette fois, elle allait avoir droit au Grand Jeu.

Une vague d'impatience la submergea. Maintenant qu'elle était si proche du but, elle ne voulait plus perdre une seule seconde — elle avait déjà attendu suffisamment longtemps. Fini ce petit jeu de séduction entre eux, tant pis pour les préliminaires, à présent elle n'avait qu'une idée en tête : sentir la chair nue de Hank sous ses mains, son sexe chaud et dur comme le roc s'enfouir au plus profond d'elle-même.

Tout de suite. Sans plus attendre.

Elle déboutonna sa chemise avec frénésie et sourit en

posant les mains au creux de ses reins. Seigneur, comme sa peau était douce, brûlante, alléchante !

Hank frissonna à son contact, preuve si besoin était que la fièvre qui sévissait en elle sévissait également en lui. Il la laissa faire et émit un long gémissement de consentement. Puis il chercha de nouveau sa bouche et l'embrassa langoureusement, de façon plus appuyée que jamais. Ce baiser avait quelque chose d'enivrant, la langue de Hank jouait avec ses lèvres, dansait avec sa langue, explorant avidement les moindres recoins de sa bouche.

Un désir brûlant se répandit dans le bas-ventre de Sam. Elle s'abandonna à cette marée de divines sensations, alors que les mains de Hank commençaient à parcourir son corps.

Elle comprit qu'il défaisait les boutons de son chemisier un à un, puis ce fut les doigts tièdes de Hank contre son ventre. A son contact, elle ressentit un vif mais exquis picotement, et se mit à respirer de façon haletante. La main de Hank remonta lentement — trop lentement ! — le long de ses côtes, avant de s'attarder enfin sur le pourtour de ses seins gonflés. Ses tétons durcirent immédiatement, avides de caresses si longtemps désirées.

Sam se cambra de façon à ce que ses seins entrent en contact mieux encore avec les doigts experts de Hank. Dès l'instant où ceux-ci se refermèrent autour de sa poitrine, elle poussa un long soupir de satisfaction, se félicitant alors de ne pas avoir mis de soutien-gorge sous son chemisier lorsqu'elle s'était changée juste après l'élection. Cette sensation exquise suffit à légitimer chaque milligramme de fruits de mer qu'elle avait dû ingurgiter depuis des jours, chaque comprimé d'antiallergique qu'elle avait avalé.

176

Et dire qu'ils venaient à peine de commencer à se caresser...

Hank poussa un léger gémissement de plaisir qui résonna contre leurs lèvres jointes. Sam absorba ce petit son exquis, avec l'envie de lui en arracher encore à l'infini. Une nouvelle salve de désir lui parcourut le bas-ventre, titillant chacune de ses terminaisons nerveuses.

— Oh, Sam, tu sens si bon ! susurra Hank d'une voix profonde et incroyablement sexy.

Elle aussi s'enivrait du parfum si subtil de Hank... C'était grisant.

Elle finit par lui ôter entièrement sa chemise d'un geste impatient qui le fit pouffer de rire. Bien qu'elle ait déjà eu de nombreuses occasions de voir son torse dénudé, c'était la première fois qu'elle avait l'opportunité de le scruter d'aussi près, et d'admirer la perfection de sa masse de muscles. Dans la lueur tamisée des bougies, sa peau luisait comme une statue de bronze et Sam voyait ses muscles se contracter au gré de ses gestes témoignant de sa robustesse.

Hypnotisée par la magie du moment, Sam laissa glisser ses mains le long de l'abdomen de Hank. Elle se délecta de la douceur incroyable de la délicate toison claire qui remontait le long de ses pectoraux jusqu'à ses épaules. Une vibration impérieuse s'accentua au niveau de son bas-ventre et une nouvelle vague de désir la submergea. Elle se pencha vers Hank et posa la pointe de sa langue au creux de son cou, se régalant de la saveur iodée de sa peau.

Hank en profita pour lui enlever son chemisier à son tour. Voilà qu'elle se retrouvait torse nu face à lui, offerte. Sam vit son regard s'assombrir tel le ciel avant un orage.

Il avait envie d'elle.

Un sentiment de confiance naquit en elle, et avec un léger sourire, elle se cambra et se laissa choir délicatement sur les coussins au sol. Hank la suivit aussitôt et s'installa de nouveau sur elle. Cette fois il pressa ses deux mains sur chacun de ses seins avec ardeur, ce qui ravit Sam qui, à présent, avait envie de fougue, de passion. Justement, Hank avait dû lire dans ses pensées, car à ce moment précis il précipita ses lèvres sur les siennes et l'embrassa goulûment, avec une fièvre non contenue.

Sam se cambra afin de l'inciter à aller plus loin encore, réclamant sans pudeur le plaisir ultime auquel elle aspirait dans ses bras.

Car entre le tissu soyeux des coussins contre son dos, la sensation du corps robuste de Hank au-dessus d'elle et ses lèvres brûlantes qui parcouraient à présent sa poitrine, Sam se sentait sur le point d'exploser de plaisir. Les scénarios les plus osés, les plus libertins qu'elle avait imaginés depuis des années devenaient soudain réalité. Rien n'aurait pu la combler plus que ce qu'elle était en train de vivre avec Hank. Ce désir partagé qu'ils étaient en train d'assouvir était encore il y a une semaine de l'ordre du rêve, du fantasme, de l'inimaginable.

Instinctivement, elle rapprocha ses hanches de celles de Hank et se tortilla contre lui, sentant le centre de son désir s'enflammer à ce contact, espérant que Hank soulage enfin son désir le plus cher, le plus intime.

Elle avait envie de lui. Elle voulait aller jusqu'au bout du désir avec lui, jusqu'au bout du plaisir.

Hank gloussa contre un de ses tétons, et elle sentit son souffle brûlant attiser un peu plus sa peau en émoi.

— Patience ! murmura-t-il d'une voix amusée. Ne vois-tu pas que j'essaie de prendre mon temps pour te séduire ?

Non, elle ne voyait pas. Elle ne voyait plus rien d'ailleurs, tellement elle était embrouillée de désir. Les exquises caresses de Hank l'avaient rendue aveugle et incroyablement impudique. Lentement, il fit le tour de son téton avec la pointe de sa langue. Sam se mordit la lèvre alors qu'un tourbillon de plaisir la traversait de part en part.

— Mais je *suis* séduite ! marmonna-t-elle d'une voix rauque de désir. Déshabille-toi, Hank, et je t'en prie, déshabille-moi au passage.

Elle se surprenait elle-même de son impudeur, mais après tout ce n'était pas en restant prude qu'elle accéderait enfin à l'orgasme de ses rêves.

De nouveau, un rire terriblement sexy émana de la gorge de Hank.

— Je ne suis pas certain que tu sois tout à fait prête, mais je suis d'accord : débarrassons-nous de nos vêtements, dit-il en faisant glisser ses mains vers le bas-ventre de Sam avant de défaire la braguette de son short. A toi l'honneur, ma belle !

Elle frissonna au son de la fermeture Eclair qui descendait, puis souleva les hanches afin de permettre à Hank de faire glisser son vêtement le long de ses jambes pour le lui ôter. Il mit le short de côté, puis faufila un doigt sous l'élastique de sa culotte en dentelle. De nouveau, elle vit son regard s'assombrir.

— J'aime ta lingerie, murmura-t-il en caressant le satin qui abritait son sexe.

Puis, d'un geste assuré, il la débarrassa de ce dernier rempart, avant de la contempler, entièrement nue devant lui. S'il y a quelques minutes, il lui confessait avoir faim d'elle, à présent, Sam aurait plutôt décrit son regard comme vorace.

Hank fit courir ses doigts le long de la toison blond vénitien avant de les enfouir entre les replis de son sexe humide. L'espace d'un instant, Sam en eut le souffle coupé. Puis, Hank fit la chose la plus érotique qu'elle ait jamais imaginée : sans la quitter des yeux, il lécha ces mêmes doigts l'un après l'autre d'un geste lascif.

Cette seule vision suffit presque à déclencher chez Sam un orgasme.

— Mais je préfère encore ceci, ajouta Hank, les yeux brillant d'une lueur libertine.

Avant que Sam ne puisse réagir, il se positionna entre ses cuisses et colla sa bouche contre son sexe.

Le simple contact avec les lèvres de Hank lui arracha un petit cri de surprise, et son corps eut un spasme qui la souleva des coussins. Elle tourna la tête sur le côté et ferma les yeux, alors qu'une onde de plaisir se propageait lentement à travers tout son corps.

Jamais elle n'aurait rêvé ressentir un jour une chose pareille…

Un long soupir de plaisir émana de la gorge de Hank alors qu'il était en train de la dévorer, léchant, suçotant, titillant ses chairs les plus sensibles. Il enfouit sa langue en elle, allant et venant au plus profond d'elle, puis revint agacer les replis de son sexe, avant de refermer ses lèvres autour de son clitoris. Sam gémit longuement alors que des sensations tout aussi exquises qu'incontrôlables se répandaient en elle.

C'est alors qu'elle sentit distinctement les prémisses d'un orgasme imminent. Un voluptueux gémissement s'échappa alors de sa poitrine. Elle ferma brusquement les yeux et agrippa le tissu des coussins entre ses poings resserrés.

Bien qu'elle l'ait senti venir, elle fut abasourdie par l'intensité du plaisir qui la submergea tel un raz-de-marée, la noyant sous un flot de jouissance que son corps parvenait à peine à absorber. Elle se cambra une dernière fois et souleva la tête alors qu'elle poussait un ultime cri de libération. Pantelant, son corps fut agité des derniers soubresauts de la déferlante qui venait de s'abattre sur elle. Lentement, un sourire se dessina sur ses lèvres.

Hank lui sourit en retour, d'un air satisfait, tandis que son regard était embué d'un désir plus fort que jamais.

— *Maintenant*, tu es tout à fait prête !

Il se leva, ôta son pantalon puis son caleçon et sortit un préservatif de dessous un coussin. Sam sourit en reconnaissant un des préservatifs extra-larges qu'elle avait apportés dans ses bagages. Puis elle posa les yeux sur le membre dur comme le roc de Hank et une nouvelle onde de chaleur lui parcourut l'aine.

Le regard de Hank pétillait de malice, et sans la quitter des yeux, il déchira l'emballage du condom avec les dents.

— Je ne voulais pas que ton matériel reste inutilisé… Tu sais à quel point je déteste le gaspillage !

Sam acquiesça, les yeux rivés au pénis turgescent de Hank. Elle sentit ses tétons durcir de nouveau, alors qu'une nouvelle onde fébrile lui traversait le bas-ventre. C'est alors qu'elle fut saisie de l'envie irrépressible d'enfouir le sexe énorme et palpitant de Hank dans sa bouche.

Alors qu'il s'apprêtait à retirer le préservatif de son emballage, elle le lui prit des mains.

— Je m'en occupe, dit-elle en s'agenouillant devant lui avant de mettre le condom de côté. Encore une petite minute.

Elle prit alors son sexe entre ses mains, fit glisser ses doigts le long de sa chair chaude et veloutée, avant de l'enfouir dans sa bouche.

Aussitôt, Hank poussa un petit cri guttural et attira sa tête plus près dans un geste inconscient.

Sam promena sa langue sur toute la longueur de son pénis, se délectant de la sensation de sa peau à la fois lisse et incroyablement dure entre ses lèvres. Elle savoura le goût enivrant de volupté, d'impudeur, de péché... Hank se mit à trembler, ce qui ne manqua pas d'exciter Sam plus encore. Elle laissa échapper un soupir, puis continua à prodiguer ses caresses avec la pointe de sa langue, n'oubliant aucun millimètre carré du sexe de Hank.

Soudain, avec douceur, Hank recula afin d'échapper à ses caresses.

— Assez, souffla-t-il. Si tu continues comme ça, tout va être fini avant même d'avoir commencé...

A ces mots, Sam se mit à sourire, puis haussa les épaules.

— C'est toi l'expert ! dit-elle en attrapant de nouveau le préservatif et en le sortant de son sachet.

Elle pouffa de rire, puis déroula le préservatif sur son pénis. Un quart de seconde plus tard, elle se retrouva allongée sur le dos, et sentit le membre de Hank en haut de sa cuisse.

Elle s'était attendue à ce qu'il la remplisse tout entière, sans attendre. Mais au lieu de cela, il s'amusa à aller et venir à l'orée de son sexe, titillant son clitoris...

C'était une sensation absolument divine. Sam adorait sentir ainsi son sexe si dur, si chaud, glisser le long de ses replis humides de désir... Mais aussi délicieuse soit-elle, cette sensation ne suffisait pas à la rassasier.

Et vu l'expression satisfaite sur le visage de Hank, Sam eut la nette impression qu'il le faisait exprès... Ce qu'il voulait, c'était qu'elle le supplie. Qu'elle lui dise exactement ce qu'elle désirait.

Qu'à cela ne tienne ! Voilà trop longtemps qu'elle attendait cet instant, pour se montrer timide ou pudique.

Elle enroula ses jambes autour de celles de Hank et colla un peu plus ses hanches contre les siennes. Puis elle se tortilla contre lui, espérant l'attirer ainsi au fond d'elle-même, afin d'apaiser son désir bouillonnant.

Mais Hank se contenta de glousser et de se retirer.

— Pas tout de suite..., susurra-t-il à son oreille.

Comment cela, « pas tout de suite » ? A quoi jouait-il ?

En guise de protestation, Sam ondula des hanches vers l'avant, tentant désespérément de rattraper son pénis afin de s'emboîter entièrement à lui.

— Mais enfin, je suis prête ! gémit-elle d'une voix exaspérée.

A ces mots, elle posa les mains sur les fesses de Hank et l'attira à elle.

— Un peu de patience, ma belle... Tout vient à point à qui sait attendre.

Mais Sam vit bien que ce petit jeu lui coûtait beaucoup, à lui aussi. Sa mâchoire était crispée. Une perle de sueur roula le long de son visage. Sam remonta ses mains le long de son dos, puis de ses épaules, avant de titiller ses mamelons avec ses ongles. Il était clair que Hank brûlait d'envie de la pénétrer autant qu'elle avait envie qu'il le fasse.

Chaque cellule du corps de Sam réclamait une nouvelle explosion de plaisir. Elle sentait son cœur tambouriner contre sa poitrine, et avait l'impression que si Hank ne cédait pas à son désir dans l'instant, elle en mourrait.

— Hank, je t'en prie !..., supplia-t-elle. Je t'en prie... *maintenant !*

Hank plongea son regard à la fois torturé et curieusement apaisé dans le sien, et lui prit les mains. Puis, d'un coup de reins langoureux, il s'enfouit au plus profond d'elle.

Alors, le temps se suspendit, la Terre s'arrêta de tourner, et toutes les étoiles du ciel se mirent à tomber en pluie autour d'eux. Sam ferma les paupières et vit des étincelles, alors que sa poitrine se comprimait car elle n'arrivait plus à respirer. Jamais de toute sa vie elle n'avait expérimenté de sensation comparable à ce qu'elle éprouvait en cet instant. Elle ne pouvait imaginer de moment plus parfait que celui qu'elle était en train de vivre, que celui où leurs deux corps parfaitement complémentaires se rejoignaient. Ses yeux s'embuèrent, et elle comprit que, après cet instant, elle ne serait plus jamais la même.

Depuis des années, son esprit appartenait à Hank ; à présent, elle venait aussi de lui faire cadeau de son corps.

Et ni l'un ni l'autre ne pourraient jamais plus appartenir à un autre homme.

13.

Hank enfonça ses orteils dans les coussins et s'enfouit de toutes ses forces, de tout son cœur, de toute son âme, dans la chaleur dévorante de Sam. Il éprouva tout d'abord un vif soulagement, lui qui avait attendu ce moment toute sa vie, mais cet apaisement ne fut que de courte durée et fut remplacé par un sentiment si intense qu'il en était presque oppressant.

Une sensation tenace, douce, mais aussi un peu effrayante se logea au creux de sa poitrine, rendant sa respiration difficile. Son cœur battait à tout rompre, et une chaleur quasi surnaturelle se propageait dans chaque cellule de son corps. Il fut saisi d'une envie simultanée de rire et de pleurer, et il lui était impossible de démêler l'une de l'autre, ni de les maîtriser.

Il baissa les yeux et son regard croisa celui de Sam. Ses yeux vert pâle brillaient d'une lueur de désir, mais également d'autre chose, un sentiment qu'il n'arrivait pas à déchiffrer. Il avait rêvé de ce moment des centaines de fois pendant toutes ces années, mais il ne s'était jamais vraiment préparé à le vivre dans la réalité. Il ne s'était jamais préparé à ce qui était en train de lui arriver.

Les longues boucles blond vénitien de Sam étalées sur un coussin vert émeraude, ses lèvres pulpeuses enflées sous l'effet de ses baisers, sa peau rosée de désir, ses seins gonflés à quelques centimètres de sa bouche, et son corps svelte enroulé autour du sien dans la plus intime des étreintes… tout cela semblait sorti tout droit d'un des nombreux rêves qui émaillaient ses nuits depuis si longtemps. Sam poussa un soupir lascif, et resserra encore un peu plus ses jambes autour de lui.

A ce signal, Hank arrêta aussitôt de se poser des questions sur son état émotionnel, et se concentra sur ce que Sam et lui étaient en train de faire. Il se retira, avant de plonger de nouveau au plus profond d'elle-même, d'abord lentement, afin de mieux savourer l'intensité du moment. Mais dès l'instant où Sam l'encouragea d'un mouvement de hanches à accélérer le rythme, Hank oublia de prendre son temps, il oublia de se contrôler, il oublia tout.

Il arrêta de penser, se laissant submerger par un instinct primaire, quasi animal, émerveillé par la rencontre torride de leurs deux corps et les sensations extraordinaires que cela faisait naître en lui. Il se mit à aller et venir en Sam, de plus en plus vite, de plus en plus fort, lui arrachant des petits cris, soupirs, et autres gémissements impudiques auxquels il répondait par d'allègres coups de reins.

— Oh, Hank… Je… Je ne peux plus…

Elle semblait possédée, elle aussi. Sa peau rosée transpirait, et elle se mordit la lèvre inférieure, apparemment proche d'une nouvelle explosion de plaisir. Hank posa ses deux mains sur les hanches de Sam afin d'appuyer mieux encore chaque coup de reins.

— Oh, si, tu peux encore, répondit-il. Vas-y, ma jolie, laisse-toi aller…

186

Il accentua son va-et-vient. La bouche de Sam s'entrou-vrit comme pour pousser un ultime cri silencieux, et elle se cambra brusquement. Il sentit ses muscles féminins se contracter autour de son pénis en un ultime spasme, et devant sa jouissance, il fut à son tour envahi par l'orgasme le plus puissant de toute sa vie.

Vidé de toute son énergie, Hank s'allongea sur le côté et entraîna Sam avec lui. Il passa sa main dans sa longue cheve-lure bouclée et déposa un tendre baiser sur sa tempe.

— Oh, Sam…, murmura-t-il.

Ce fut tout ce qu'il put articuler. Pour l'heure, il s'efforçait de recouvrer une respiration normale et ses paupières se faisaient lourdes. Il réfléchirait demain. Demain, il dirait à Sam combien il l'aimait, combien il souhaitait qu'elle reste avec lui à Orange Beach… Il lui dirait tout cela, et bien plus, avant de lui demander… sa main.

— Tu crois que l'on pourrait le faire ici sans se faire surprendre ? demanda Hank avec un sourire coquin.

Puis il lui mordilla le lobe de l'oreille, ce qui déclencha immédiatement chez Samantha une salve de frissons le long de la colonne vertébrale.

Sam gloussa. Même si l'ancien dépôt de munitions de Fort Morgan était isolé, rien ne garantissait qu'ils ne seraient pas surpris par un promeneur égaré. Une onde de chaleur lui parcourut le bas-ventre avant de remonter jusqu'à la pointe de ses seins.

— Avec la chance que j'ai, on est quasi certains de se faire surprendre.

Hank soupira d'un air attristé.

— Je suppose que cela veut dire non ?

— Cela veut juste dire « attends que nous soyons rentrés à la maison », répondit-elle en lui déposant un baiser affectueux sur la joue avant de l'entraîner vers la sortie.

« A la maison ». La gorge de Sam se noua lorsqu'elle s'entendit prononcer ces mots. Si Hank avait relevé son lapsus, il n'en montra rien. Elle en fut soulagée.

Il était temps pour elle de clarifier la situation. Au départ elle s'était bien doutée que faire l'amour avec Hank allait intensifier ses sentiments pour lui, mais elle n'avait pas imaginé à quel point cela serait le cas jusqu'au moment où elle s'était réveillée dans ses bras, ce matin. Maintenant qu'elle avait connu la passion grâce à lui, elle mesurait l'ampleur de l'avenir de solitude qui se promettait à elle.

Elle déglutit péniblement à cette idée. Quoi qu'il en soit, elle était déterminée à profiter de chaque minute qui lui restait à passer avec Hank. Elle aurait largement le temps de se lamenter sur son sort une fois qu'elle serait de retour à Aspen. En attendant la fin de ses vacances, elle avait décidé de doubler les portions de son « régime phéromones » et de passer autant de temps que possible au lit avec Hank, de vivre au jour le jour et de s'interdire de penser au futur.

Lorsqu'ils étaient rentrés à Clearwater ce matin, elle avait appelé la compagnie aérienne et annulé son billet d'avion de retour… Le fait d'avoir été élue Miss Plage avait tout de même eu un inconvénient : elle allait devoir rentrer à Aspen au volant de son nouveau 4x4 et donc partir un jour plus tôt. Au moins, elle pourrait profiter du trajet pour remettre son cerveau en marche et réfléchir aux conséquences de ce qu'elle venait de faire avec Hank.

Après une bonne douche, de nouveaux ébats langoureux et passionnés, et encore une longue douche, elle avait décidé de faire la vingtaine d'heures de voiture qui la séparait d'Aspen en deux jours, et avait téléphoné au bureau pour prévenir qu'elle ne serait pas de retour avant mercredi. Après tout, personne ne l'attendait là-bas, et le centre de remise en forme de Cedar Crest pouvait bien se passer d'elle pour une journée. De toute façon, ils allaient devoir s'habituer à son absence. Car, dès son retour, elle avait l'intention de donner sa démission.

Hank et elle venaient d'atteindre le haut de l'escalier étroit qui donnait sur un panorama splendide du golfe. Sam fit quelques pas et se pencha au-dessus de la balustrade pour mieux sentir la brise marine sur son visage. Le soleil de l'après-midi envoyait des rayons dorés danser au-dessus des eaux turquoise de l'océan. Elle inspira profondément et laissa l'air iodé pénétrer dans ses poumons.

— Larguez les amarres ! s'écria-t-elle alors d'une voix de pirate.

Hank acquiesça, l'air impressionné.

— Ma parole ! Mais tu connais l'histoire locale par cœur ! dit-il. Tu vois, finalement, je n'ai pas vraiment falsifié ton formulaire d'inscription pour l'élection de Miss Plage…

— Je connais l'histoire de ce fort parce que je suis attachée à l'endroit, voilà tout. On dirait que son passé est gravé dans ses pierres, et je trouve cela fascinant.

Hank hocha la tête et passa un bras sur son épaule.

Construit au début du XIXᵉ siècle, le Fort Morgan se dressait à la pointe de la péninsule qui encadrait la baie de Mobile. Il était devenu célèbre durant la guerre de Sécession, lorsqu'un amiral de l'Union avait conduit une bataille avec sa flotte à l'entrée de la baie. Pendant l'attaque, l'*U.S.S. Tecumseh* avait heurté une mine, et dans la confusion, la flotte avait hésité à poursuivre l'attaque.

Finalement, l'amiral de l'Union avait fini par ordonner à ses hommes un « larguez les amarres » qui était resté dans les annales locales.

Toute son enfance, Sam avait entendu cette expression dans son entourage, mais n'en avait appris la signification que quelques années plus tôt, lorsqu'elle avait visité le musée du fort durant ses vacances annuelles. Elle soupira. Elle adorait cet endroit et était profondément attachée à sa région d'origine.

Un silence serein s'installa entre Hank et elle alors qu'ils admiraient tous les deux le panorama. L'espace d'un bref moment de folie, Sam se surprit à espérer qu'une fois qu'elle aurait arrêté le « régime phéromones », tout redeviendrait comme avant entre eux ; que le fait qu'ils aient passé plusieurs jours à faire l'amour avec passion ne changerait rien à leur amitié. Elle reviendrait habiter ici, ils continueraient à se téléphoner, à se voir comme avant, comme si rien d'intime ne s'était passé entre eux.

Or elle savait pertinemment que cela était impossible.

Pas après tout ce qui venait de se passer. La nuit dernière avait été… Il n'existait même pas de mot pour décrire à quel point cette nuit avait été sublime, parfaite. Certes, Hank était un amant expérimenté, mais elle ne pouvait s'empêcher de se dire que ce qu'ils avaient partagé là était vraiment spécial… Que cela allait plus loin qu'un simple acte sexuel. Bien sûr, elle raisonnait ainsi parce qu'elle était amoureuse. Pour elle, il ne s'était pas simplement agi de sexe. Elle avait mis tous ses sentiments dans leurs ébats, et elle avait eu l'impression qu'il en avait été de même pour Hank.

Elle se souvint alors du moment exact où elle l'avait accueilli en elle pour la première fois. Le visage de Hank avait laissé transparaître à cet instant un air à la fois étonné et ébahi. Tout comme si lui aussi avait ressenti cette connexion très spéciale...

Mais sa prudence l'incitait à se dire qu'elle se faisait des idées, plutôt que d'oser s'imaginer que Hank ressentait pour elle plus qu'une simple attirance physique.

Elle l'observa du coin de l'œil, et fut aussitôt submergée par une flot de désir et d'affection. Il était tellement craquant. Pommettes hautes, mâchoire proéminente, un nez bien droit... Il était magnifiquement viril. Et pourtant il subsistait en lui quelque chose d'enfantin et de vulnérable. Quelque chose de touchant qui donna un pincement au cœur à Sam.

Il se tourna vers elle et leurs yeux se croisèrent. Hank lui sourit, et l'attira tout contre lui.

— Je vois que tu as de nouvelles taches de rousseur, remarqua-t-il. Tu as oublié ton écran total ?

— Des nouvelles taches de rousseur ? répéta-t-elle en gloussant. Comment peux-tu savoir si elles sont nouvelles ?

— Parce que tu ne les avais pas ce matin, tout simplement ! Je ne peux m'empêcher de t'observer.

Il posa un doigt sur ses lèvres et le fit délicatement glisser le long de leur contour.

— Celle-ci, par exemple, n'était pas là ce matin, murmura-t-il d'une voix sensuelle en appuyant à un endroit. Je le sais parce que je passe mon temps à contempler ta bouche, Sam. Tu n'as donc jamais remarqué ?

Sam cligna des paupières, grisée. Elle était en train de perdre le fil de la conversation.

— Quoi ?... Que j'ai une belle bouche ?

— Non, sourit-il. Que je passe mon temps à lorgner dessus.

— Oh… Euh, non…

Elle sentit soudain ses jambes se dérober sous elle.

Hank déposa un baiser furtif sur ses lèvres et sa voix devint plus chuchotante.

— Ta bouche est charnue et sensuelle… très sensuelle. Quand je la regarde, je brûle d'envie de l'embrasser… et que ces lèvres pulpeuses m'embrassent à leur tour sur tout mon corps.

A ces mots, des images de chaque millimètre carré du corps de Hank assaillirent l'esprit de Sam. Puis il posa de nouveau ses lèvres sur les siennes, et tout s'effaça. Les sensations éradiquaient ses pensées une à une. Sam passa ses bras autour du cou de Hank, promenant ses mains le long de sa nuque. Puis elle inclina la tête afin de le dévorer à son tour. Ce baiser fut long et fiévreux, profond et appuyé, et lorsque leurs lèvres se séparèrent, Sam pouvait à peine respirer.

Lui-même à bout de souffle, Hank posa son front contre le sien.

— Bon sang, Sam, tu me rends dingue ! marmonna-t-il. J'ai envie de toi depuis toujours, depuis que tu es arrivée cette semaine, depuis que l'on a quitté la chambre ce matin… Ce désir me rend fou. Nous sommes dans un lieu public, bon sang de bonsoir, et la seule chose à laquelle je peux penser, c'est de te plaquer contre cette balustrade, de soulever ta jupe, et…

Il fit une pause, la regarda et acheva dans un souffle :

—Allons à la voiture !

Bien que secrètement ravie, Sam feignit l'étonnement :

— Tu veux que nous... Dans la voiture ?

Il l'entraîna d'un pas décidé dans l'escalier.

— Mes vitres sont teintées, et ma voiture a d'excellents amortisseurs.

Sam ne put réprimer un gloussement d'anticipation. Manifestement, l'Opération Orgasme n'était pas encore finie...

Hank balaya le parking du regard et fut soulagé de constater qu'il n'y avait qu'une seule voiture en plus de la sienne, et qu'elle était garée à l'opposé, près de l'entrée. Il plongea une main dans sa poche de pantalon pour vérifier qu'il avait bien les clés et un préservatif. Puis il traversa le parking, entraînant Sam derrière lui.

Tout cela était fou, complètement fou, mais il ne pouvait s'en empêcher. Il était dans un état d'excitation permanent à cause d'elle depuis... depuis toujours. Et il avait cru qu'une fois qu'ils auraient fait l'amour, cette attirance s'apaiserait. Or, c'était exactement le contraire.

Car à présent qu'il avait goûté à la joie, au bonheur d'être avec elle, à présent qu'il connaissait le goût de sa peau, de sa langue, de son sexe... il ne voyait pas comment il pourrait s'en passer à l'avenir. Jamais il n'avait ressenti une telle attirance pour une autre femme, et il commençait à deviner pourquoi : il était amoureux. Et le plus incroyable, c'est que cela ne l'inquiétait même pas.

Il avait besoin d'elle. Il l'aimait.

Et il avait envie d'elle, maintenant, sur-le-champ.

Il déverrouilla le véhicule et ouvrit la portière arrière pour Sam. Elle gloussa, l'air radieuse, et se précipita sur la banquette arrière. Hank la suivit sans attendre et verrouilla la voiture de l'intérieur. Il sentit alors quelque chose de léger lui heurter le crâne et s'aperçut avec plaisir qu'il s'agissait de la culotte dont Sam venait de se débarrasser.

A son tour, il pouffa de rire et se débarrassa de son pantalon et de son boxer. Sans perdre plus de temps, il enfila le préservatif puis s'allongea sur Sam. Elle n'offrit aucune résistance, entrouvrit sa bouche et ses cuisses, et Hank la pénétra immédiatement, tout en l'embrassant comme si le sort du monde en dépendait. Les mains avides de Sam se promenaient sur tout son corps, déboutonnant sa chemise, puis courant le long de son dos. Il frissonna au contact de ses paumes tièdes et douces.

Sans attendre, il s'engagea dans un frénétique va-et-vient, alors que Sam lui criait d'aller encore plus vite, et encore plus fort, au moins aussi affamée de volupté que lui. Elle contracta ses muscles féminins autour de son pénis, et Hank sentit les prémices d'un orgasme. Il passa un bras sous le genou de Sam et s'enfonça plus profond encore en elle.

Elle se mit alors à haleter et à se tortiller sous lui, en sueur. Le dos et la nuque cambrés, ses seins bougeaient au rythme des coups de reins exaltés de Hank. Enfin, cria, se cambra une dernière fois contre le dossier de la banquette et se convulsa dans ses bras. Au même moment, Hank jouit à son tour et s'abandonna à l'extase foudroyante qui s'emparait de lui.

Après quelques instants, il se retira d'elle et s'assit à son côté. Pantelante, Sam avait le visage d'une femme comblée. Elle posa un bras sur son front, leva les yeux vers Hank et dit en riant.

— C'était… absolument incroyable !

Hank sourit et se frotta machinalement la poitrine.

— Tout le plaisir était pour moi.

194

Elle le dévisagea de la tête aux pieds d'un œil coquin.

— J'avais remarqué !

— Et j'ai bien l'intention de te satisfaire encore, et encore. A commencer par ce soir.

— Ah ? demanda-t-elle en haussant un sourcil.

Hank consulta sa montre.

— Oui, d'ailleurs, il est temps que nous rentrions. J'ai une petite course à faire.

Sam se redressa et rattrapa sa culotte tombée entre les sièges avant.

— Tu dois aller à Foley ?

— Oui, répondit-il en se débarrassant du préservatif, avant de remettre son caleçon et son pantalon.

— Parfait ! Justement, je comptais faire un tour au centre commerc...

« Aïe ! » pensa Hank qui n'avait pas prévu cela.

— Euh, tu ne peux pas venir avec moi, déclara-t-il, paniqué.

A ces mots, elle se figea et lui adressa un regard intrigué.

— Que suis-je censée comprendre ?

Hank sentit qu'il était en train de s'empêtrer dans un mensonge, ce qu'il détestait par-dessus tout, et préféra opter pour la vérité.

— Que tu ne peux pas venir avec moi, sinon cela va gâcher la surprise que je te prépare.

— Une autre surprise ? Pour moi ? s'exclama-t-elle, incrédule.

Il acquiesça.

— Oui, elle est censée égayer la soirée romantique que j'ai prévue pour nous !

195

En rentrant de Foley, il aurait une bague de fiançailles dans sa poche. Il ferait sa demande en mariage à Sam ce soir. Elle dirait oui. Ils retourneraient ensemble à Aspen où il l'aiderait à régler les détails de son déménagement durant les deux semaines que durerait son préavis au centre de remise en forme. Puis ils rentreraient à Orange Beach, s'y marieraient, continueraient à faire l'amour frénétiquement, fonderaient une famille et vivraient heureux pour le restant de leurs jours. Ses parents allaient être ravis.

Pour la première fois de sa vie, il arrivait à se projeter dans l'avenir. Au moment même où il avait compris qu'il était amoureux de Sam, tout était devenu si simple...

Finalement, l'amour n'avait rien de compliqué. Ce sont les gens qui compliquent tout.

En fait, il avait commencé à se dire que Jamie n'avait peut-être pas tort lorsqu'il prétendait que Sam était attirée par lui depuis des années. Il ignorait ce qui l'avait empêché de s'en rendre compte plus tôt, mais à présent il n'avait plus aucun doute : Sam l'aimait, elle aussi. Tout dans son attitude trahissait ses sentiments pour lui : regards appuyés, petits gestes affectueux, sourires complices... C'était écrit sur son visage !

A cette idée, Hank sentit une profonde émotion baigner son cœur.

Il ne pouvait rêver mieux que d'aimer et être aimé par Samantha, sa Miss Plage à lui. A présent il avait hâte de vivre avec elle, de partager sa maison avec elle, d'en faire leur foyer, de s'endormir à côté d'elle tous les soirs, de se réveiller tous les matins dans le même lit. De traîner sur le canapé le dimanche matin, d'aller se balader en voiture, bref d'avoir une amie, une amante, une partenaire et une confidente pour le restant de leurs jours. Il avait hâte qu'elle devienne officiellement Mme Hank Masterson.

Et à condition que les choses se déroulent comme prévu ce soir — et il ne voyait aucune raison pour que ce ne soit pas le cas — il n'aurait plus très longtemps à attendre.

14.

Sam s'efforçait de ne pas penser à son départ de Clearwater
le lendemain, mais cela n'était guère aisé. De son côté,
Hank semblait tendu également, ou tout au moins soucieux.
C'était probablement à cause de sa propre humeur à elle.
Mais Sam refusait de laisser ses états d'âme lui gâcher sa
dernière soirée, sa dernière nuit avec Hank. Ces derniers
moments auprès de lui étaient trop précieux.

C'est pourquoi elle avait doublé les proportions de son
« régime phéromones » et de ses antiallergiques. Pendant
que Hank était allé faire sa mystérieuse course, Sam s'était
rendue au bar à huîtres chez Captain Jack pour prendre
un petit snack. A présent, elle était au bord du dégoût et
n'était pas certaine de pouvoir remanger un jour des fruits
de mer. De plus, sa double dose d'antihistaminiques lui
avait déclenché une violente migraine. S'il y avait une
chose qu'elle ne regretterait pas après son départ, c'était
bien ce maudit régime.

A présent, Hank et elle étaient assis face à face à la
meilleure table du restaurant romantique où il avait réservé.
Sam parcourut le menu du regard et poussa un léger soupir.
En attendant de quitter Clearwater, elle devait encore tenir
quelques heures sous ce régime.

— Que vas-tu commander ? demanda-t-elle à Hank.

Il fronça les sourcils avant de répondre.

— Je crois que je vais prendre un faux-filet et un homard. Et toi, qu'as-tu choisi ?

La bouillabaisse serait probablement son meilleur atout pour booster une dernière fois son taux de phéromones.

— Des calamars en entrée, puis une bouillabaisse, répondit-elle.

— Cela me paraît être un excellent choix ! acquiesça-t-il.

Ils bavardèrent tranquillement de choses et d'autres. Sam s'était attendue à ce que Hank l'interroge sur l'intention dont elle lui avait part au début de son séjour de revenir s'installer dans la région, mais il n'en fut rien. Quoi qu'il en soit, elle avait décidé de mener son projet à bien et d'emménager près de lui. Ici, elle se sentait chez elle.

Hank lui demanda son opinion au sujet de certains projets qu'il avait pour la maison d'hôtes, semblant attacher une grande importance à ce qu'elle en pensait. Ils parlèrent aussi de ses parents, du travail de Sam... Si seulement cette soirée pouvait durer toujours...

Une fois qu'elle serait partie et que Hank serait hors de portée de ses superphéromones, l'attirance qu'il éprouvait pour elle s'évanouirait et il se demanderait comment il avait pu avoir une aventure avec elle. Sam regrettait amèrement d'avoir berné son meilleur ami de la sorte, mais elle savait qu'il s'en remettrait. Même si leur amitié ne survivrait peut-être pas à cette situation. Et puis, qui sait, peut-être qu'avec un peu de temps ils redeviendraient amis, même si les choses ne pourraient plus jamais être comme avant... Au fond d'elle-même, elle était bien consciente qu'elle prenait peut-être là ses rêves pour des réalités.

— T'ai-je dit que j'avais déniché une vieille baignoire à pieds chez un antiquaire, et que je vais l'installer dans ma salle de bains ? demanda Hank.

La bouche pleine de calamars, Sam secoua la tête.

— En fait, je prévois de rénover entièrement cette pièce dans un avenir proche, continua-t-il. Je vais faire monter cette nouvelle baignoire, et installer un lavabo à double vasque à la place du simple. Et puis, je vais probablement construire une extension à la maison.

—C'est... C'est une bonne idée, murmura Sam en s'efforçant de garder une voix neutre.

Un lavabo à double vasque ? La gorge de Sam se noua. Hank commençait à envisager sérieusement de s'installer avec une femme...

Et puis, qu'était-ce que cette idée d'extension ? Peut-être envisageait-il aussi de fonder une famille. En tout cas, à moins qu'il ne réaménage certaines chambres d'invités, Hank n'aurait d'autre choix que d'agrandir sa maison pour y ajouter une aile dédiée à sa famille. Bien sûr, elle avait toutes les peines du monde à se montrer encourageante face à ce nouveau projet, mais elle parvint à se composer un visage presque enthousiaste, même si elle sentait ses yeux commencer à la brûler.

— Je suis certaine que tu trouveras un bon artisan pour réaliser ce projet, dit-elle.

Hank acquiesça et redevint songeur.

Avant qu'il ne continue à lui faire part de ses projets d'avenir qui lui brisaient le cœur, elle fut soulagée de voir arriver leurs commandes. Et, malgré son dégoût grandissant pour les fruits de mer, elle attaqua sa bouillabaisse.

— Sam, il y a quelque chose que j'aimerais te demander, reprit Hank d'une voix nerveuse.

Que voulait-il encore ? Son opinion sur les prénoms de ses enfants à venir ? Elle se composa un sourire amical et leva les yeux vers lui.

— J'avais prévu d'attendre le dessert pour te poser cette question, mais...

Il s'interrompit brusquement et fronça les sourcils.

— Sam, qu'as-tu à l'œil ? demanda-t-il d'une voix alarmée.

— Rien, ce n'est probablement qu'une poussière.

Bizarrement, elle s'aperçut qu'elle avait du mal à articuler... Sa langue lui semblait avoir envahi sa bouche.

— Mais enfin, tu as l'œil tout rouge et il est en train d'enfler ! s'exclama Hank en se penchant vers elle pour mieux voir. Et l'autre aussi !

A cet instant, Sam se rendit compte avec horreur que sa gorge aussi était en train d'enfler à une vitesse alarmante. Elle essaya de se calmer en inspirant profondément, mais l'air ne passait plus à travers sa gorge à présent complètement resserrée. Paniquée, elle parvint à pousser un petit cri avec le peu d'air qui lui restait, porta sa main à son cou et croisa le regard de Hank. Son cœur se mit à tambouriner contre sa poitrine, et elle eut l'impression que sa peau allait exploser à force de gonfler. Son crâne se mit à la démanger, et en quelques secondes elle eut envie de se gratter le corps tout entier. Elle sentit des larmes s'écouler de ses yeux.

— Oh, mon Dieu, Sam, tu es en train de faire une allergie ! s'écria Hank en regardant tour à tour son assiette de bouillabaisse et son visage. C'est ton intolérance aux fruits de mer ! Mais enfin, que t'a-t-il pris de commander...

Mais Sam n'entendit plus la suite, et la voix emportée de Hank lui parut soudain lointaine. Elle tenta de retrouver un peu d'air, en vain. Le regard trouble, elle vit Hank bondir de son siège et la rattraper alors qu'elle s'effondrait à terre. Au loin, elle entendit une série de cris paniqués et de bruits de couverts. Puis, alors qu'elle sentait comme une aiguille que l'on plantait dans sa cuisse, les mots « stupide », « irresponsable », « désolée » et « vais-je mourir ? » flottèrent dans son esprit.

Puis, ce fut le néant.

Quelques heures plus tard, Sam découvrit qu'elle n'était pas morte — elle avait simplement perdu connaissance. Elle se demanda néanmoins si elle n'allait pas succomber incessamment à la honte et au ridicule qu'elle avait ressentis depuis qu'elle était revenue à elle.

Hank était assis dans un coin de la salle des urgences dans le fauteuil habituellement réservé au médecin.

— Un *régime phéromones* ? répéta-t-il d'une voix aussi abasourdie que pétrifiante une fois que Sam lui eut tout expliqué

— Oui, confirma-t-elle, piteuse.

Sa gorge qui était encore enflée lui donnait une voix rauque. La piqûre qu'elle avait ressentie dans la cuisse était une dose de cortisone sous-cutanée qu'une cliente du restaurant avait par chance dans son sac à main. Cela avait permis à Sam d'être transportée immédiatement à l'hôpital où un médecin aux sourcils froncés l'avait rudement sermonnée.

Ce qu'elle avait fait était aussi impardonnable qu'idiot.

— Tout cela parce que tu voulais booster ton sex-appeal pour trouver un amant et obtenir un orgasme…

Ce n'était pas une question, et la voix de Hank tremblait légèrement sous l'effet de la rage intérieure qu'il devait ressentir. Il semblait se retenir de l'étrangler et cela devait être la raison pour laquelle ses doigts étaient crispés sur les accoudoirs de son siège.

— Ecoute, Hank, je sais bien que ce que j'ai fait était stupide, mais...

— Stupide ? répéta-t-il en bondissant de son siège. *Stupide ?* Non, Sam, ce que tu as fait est tout simplement *inconscient* ! Tu aurais pu en mourir ! Et tout cela pour quoi ? Pour un *orgasme* ? Ma parole, Sam, mais qu'est-ce qui t'a pris ? Comment as-tu pu aller te gaver de fruits de mer chez Captain Jack alors que tu savais que l'on allait dîner au restaurant deux heures plus tard ? Franchement, je ne te comprends pas.

Il secoua la tête d'un air dépité et se passa la main dans les cheveux.

Sam plissa le front et soupira. Si seulement Hank n'avait pas été là lorsqu'elle avait été obligée de détailler au médecin tout ce qu'elle avait mangé au cours de sa journée...

— Explique-moi : essayais-tu délibérément de te faire du mal ?

— Non, bien sûr que non !

— Alors pourquoi as-tu fait ça ? insista-t-il.

— Je te l'ai déjà dit, répondit-elle, fatiguée.

Si elle avait su que les choses entre eux se termineraient ainsi... Une boule d'émotion se forma au creux de sa gorge, et elle sentit des larmes poindre au coin de ses yeux.

— Je ne comprends pas, reprit Hank. Explique-moi !

Les larmes qu'elle tentait de retenir finirent par rouler le long de son visage. Elle émit un petit rire désabusé.

— Tu tiens vraiment à connaître la raison de mes actions, hein ? Eh bien, je vais te la donner, Hank : c'est *toi*.

Il cligna des paupières, visiblement interloqué.

— Moi ?

— A aucun moment je n'avais imaginé que ce régime pourrait fonctionner sur toi. Je ne me serais même pas autorisée à l'imaginer, même si cela fait si longtemps que je rêve que tu me regardes, que tu me désires, déclara-t-elle entre deux sanglots avant de hausser les épaules. Et puis, par miracle, c'est arrivé. Et tu m'as fait cette offre que je ne pouvais refuser : c'était là tout — je dis bien *tout* — ce dont je rêvais depuis des années. Du coup, j'ai doublé les proportions de mon régime et mes doses d'antiallergiques, en espérant que cela permette que tu me désires assez longtemps, au moins jusqu'à la fin de mes vacances.

Hank laissa s'installer un bref silence entre eux.

— Bon, admettons..., reprit-il. Il y a quand même une faille dans ton raisonnement.

— Laquelle ?

— Ce n'est pas ton régime, ni tes phéromones en folie, ni même ton nouveau look qui m'ont donné envie de te séduire, Sam. Mais toi, tout simplement. Je te l'ai déjà expliqué lorsque je t'ai ouvert mon cœur et livré mes sentiments.

Sam secoua la tête tristement.

— Je suis sincèrement navrée, Hank. Mais tu ne ressentiras plus la même chose une fois que je serai loin.

— Tu n'iras nulle part de toute façon.

Sam le regarda d'un air tout à la fois interrogateur et inquiet.

— Sais-tu ce que j'avais prévu de te faire comme surprise ?

Elle déglutit péniblement.

— Non.

Hank sortit un petit écrin en velours rouge de sa poche, et en ouvrit le couvercle.

— Je suis amoureux de toi, Sam. Je veux que tu deviennes ma femme.

Sam laissa échapper un nouveau sanglot. Elle n'arrivait pas à croire ce qu'elle venait d'entendre — cela en était trop pour elle. Non seulement Hank pensait être amoureux d'elle, mais en plus il croyait avoir envie de passer le restant de ses jours avec elle. Une fois encore, Hank lui faisait une offre qui était trop belle pour être vraie. Cette fois, il lui proposait de réaliser le rêve le plus *fou* qu'elle ait jamais eu.

Or, cette fois, elle se devait de refuser.

Hank n'était pas amoureux d'elle, et s'il voulait l'épouser en ce moment, c'était uniquement parce ce qu'il était encore sous l'effet de ses phéromones. Une fois cet effet dissipé, il ne voudrait plus d'elle. Et il lui serait reconnaissant d'avoir refusé sa proposition et de lui rendre ainsi les choses plus faciles.

Sam secoua la tête de nouveau, soupira longuement et essuya les larmes de ses joues.

— Non, Hank ; tu n'es pas amoureux de moi, et tu ne souhaites pas m'épouser, dit-elle sèchement. Ce n'est que l'effet du régime qui…

— Cela n'a rien à voir avec ce satané régime ! Je t'ai déjà dis que cela faisait des années que tu m'attirais, Sam. Depuis que tu as eu dix-huit ans. Ton régime stupide n'y est pour rien !

— Si c'est vrai, alors pourquoi ne m'as-tu jamais rien dit durant toutes ces années ? Si tu me désirais réellement, alors pourquoi ne me l'as-tu jamais montré ?

Hank ouvrit la bouche, mais sembla incapable de formuler une réponse cohérente.

Sam se força à sourire.

— N'en parlons plus, Hank. Tu vois bien que tu as agi sous l'effet du régime. Peut-être as-tu éprouvé une certaine attirance pour moi avant ce régime, mais cela n'était pas suffisant pour… Enfin, c'est ce régime qui t'a incité à passer à l'acte, voilà tout.

— C'est faux, Sam ! Tu dis n'importe quoi.

Elle secoua la tête d'un air entendu.

Hank souffla d'un air exaspéré et se passa une main dans les cheveux.

— C'est donc tout ? Tu ne reviens pas vivre ici ? Tu retournes à Aspen ?

Elle acquiesça, se gardant bien de répondre à la première partie de la question. Oui, elle reviendrait s'installer à Orange Beach, mais plus tard.

— Dès que je sors de ce maudit hôpital !

— Tu commets une grossière erreur, Sam.

— Bah, au point où j'en suis, une de plus, ou une de moins…, soupira-t-elle, épuisée.

Elle était partie.

Hank n'arrivait toujours pas à y croire. Il n'arrivait pas à croire qu'elle pensait sincèrement qu'il lui avait offert son cœur, offert de porter le même nom que lui à cause d'un stupide régime. Cette idée était grotesque.

Assis sur la balancelle sous le porche, il prit son visage entre ses mains et poussa un profond soupir. Comment le plan qu'il avait élaboré pour eux deux avait-il pu aussi facilement échouer ? Surtout, comment avait-il pu croire que tout serait facile, juste parce qu'il était amoureux ?

— Elle est vraiment partie ? demanda Jamie en s'asseyant à côté de lui sur la balancelle.

Plus tôt dans la journée, Hank lui avait raconté une version abrégée des derniers événements.

— Eh bien, oui, acquiesça-t-il.

— Y a-t-il une chance qu'elle revienne un jour ?

Hank se frotta l'aile du nez.

— Peut-être, soupira-t-il. Mais si c'est le cas, ce ne sera pas avant des lustres… Je crois que je vais finir par aller moi-même la chercher.

— C'est exactement ce que j'allais te suggérer. Quand comptes-tu aller à Aspen ?

Si cela ne tenait qu'à lui, Hank serait parti sur-le-champ, mais cela ne serait pas une bonne idée. Sam ne croirait en l'authenticité de ses sentiments pour elle qu'une fois que les effets de son régime diabolique se seraient totalement dissipés, et que son taux de phéromones serait revenu à la normale. Franchement, il n'avait jamais entendu de théorie aussi ridicule. Il ignorait combien de temps cela pouvait prendre, mais il supposait que quinze jours devraient suffire. Il fit part de son idée à Jamie qui fut d'accord avec son analyse de la situation.

— Une fois là-bas, il va vraiment falloir que tu mettes le paquet pour la convaincre !

Hank sourit d'un air assuré. Il ne s'inquiétait pas le moins du monde de cet aspect des choses : il savait parfaitement comment s'y prendre pour la convaincre.

Sam porta une nouvelle poignée de pop-corn à ses lèvres tandis que, de l'autre main, elle zappait à l'aide de sa télé-commande. Elle tomba sur une comédie sentimentale avec Tom Hanks et Meg Ryan, ses acteurs préférés au cinéma.

Les premiers jours après son retour à Aspen, elle avait soigneusement évité de regarder toute émission ou film parlant directement ou indirectement d'histoires d'amour. Et puis, elle avait fini par se rendre compte que ce serait probablement la seule forme de romance qu'elle expérimenterait durant le restant de ses jours, et avait décidé d'assumer son sort en se résignant à rêver devant des couples de cinéma.

Elle avait rempli son réfrigérateur et ses placards de sucreries et autres aliments anti-déprime. Par ailleurs, elle avait décidé de se mettre en grève de maquillage, de gel capillaire, et même d'épilation des jambes… A présent, elle n'avait que faire de son apparence physique. Elle avait décidé de rester naturelle, sans avoir recours à aucun artifice. Après ce qu'elle avait fait subir à son corps, c'était bien la moindre des choses ! Et puis, entre son travail et ses séances d'apitoiement sur soi, il ne lui restait guère de temps pour être coquette.

Comme elle l'avait prévu, Hank n'avait pas essayé de la joindre ni par téléphone ni par mail ou tout autre moyen. Elle avait pourtant espéré se tromper au sujet des effets du « régime phéromones » sur lui, et que leur amitié survive à leur aventure, mais à présent qu'ils s'étaient tout dit, Hank devait se sentir trop embarrassé pour la contacter de nouveau. Elle l'avait dupé avec son régime, et elle comprenait parfaitement qu'il ne souhaite plus entendre parler d'elle. Elle comprenait son attitude, mais cela ne l'empêchait pas d'en avoir le cœur brisé, et de regretter une amitié qui avait duré de si nombreuses années. Et dire que Hank était prêt à l'épouser…

Elle sentit poindre une nouvelle crise de larmes et proféra un juron. « Tu n'avais qu'à pas être aussi bête. Maintenant, tu dois assumer tes errements. »

Elle tendit la main pour attraper une autre poignée de pop-corn et s'aperçut que son bol était vide. Elle se leva pour aller chercher un autre sachet quand on sonna à la porte d'entrée.

Elle s'arrêta net et fronça les sourcils. Qui cela pouvait-il être ? Elle ne recevait que rarement des visiteurs. Sans doute un autre livreur de pizza égaré, se dit-elle en soupirant. Elle songea alors à se faire passer pour le client auquel était destinée la commande, récupérant ainsi un plat supplémentaire pour continuer à entretenir sa déprime en mangeant plus que de raison. Mais lorsqu'elle ouvrit la porte, elle se trouva nez à nez avec… Hank.

Sa première réaction fut une explosion de joie incrédule, aussitôt suivie de l'embarras le plus cuisant en pensant au négligé de sa tenue.

— Hank ? parvint-elle à articuler.

Il ne répondit pas, se contentant de la dévisager de la tête aux pieds, ce qui ne fit qu'accentuer le malaise de Sam, consciente de son apparence lamentable. Elle était dans un piteux état et ressemblait à l'ancienne Sam, avant le passage chez la relookeuse et le « régime phéromones ».

— Mais que…

Sans la laisser finir, Hank l'attira contre lui et l'embrassa fougueusement. Il l'entraîna à l'intérieur, referma la porte avec son pied sans se détacher de ses lèvres. Il l'embrassa goulûment, passa ses mains dans ses cheveux emmêlés, et la colla si fort contre lui qu'elle sentit bientôt la proéminence de son désir à travers son pantalon.

Une nouvelle onde de joie la submergea, tandis qu'une exquise décharge de chaleur se répandait dans tout son corps. Elle sentit ses tétons se dresser sous l'effet du désir violent qui s'emparait d'elle, un désir si intense qu'elle en frissonnait.

Sans plus de cérémonial, Hank défit la chemise de Sam, la fit passer au-dessus de sa tête d'un geste impatient et posa ses lèvres sur ses seins. Seigneur, elle avait tellement envie de lui ! Elle le déshabilla à son tour, en un tournemain, et moins de dix secondes plus tard, elle attira Hank vers elle, l'entraînant vers le sol où ils s'écroulèrent de concert en gloussant. Sam était désespérée de le sentir de nouveau en elle et ivre de joie de voir que Hank était en train de lui montrer qu'il l'aimait, qu'à ses yeux elle était belle, et que cela n'avait absolument rien à voir avec le régime. Il la désirait depuis toujours, et visiblement essayait de lui faire comprendre qu'il la désirerait *pour toujours*.

Hank s'interrompit un instant avant de s'enfouir en elle, et la scruta d'un œil déterminé, dans lequel Sam pouvait aussi lire une émotion non dissimulée.

— As-tu arrêté ton régime ?

Elle acquiesça.

— Donc il n'y a plus de phéromones folles qui émanent de toi ?

Elle secoua la tête.

— Et hormis le fait que je t'aime, que je t'ai toujours désirée, j'espère que tu comprends ce que cela signifie ? murmura-t-il en la pénétrant.

Un sourire se dessina sur les lèvres de Sam.

— Je crois que oui.

Il écarquilla les yeux.

— Tu *crois* seulement ? Tu n'en es pas sûre ? demanda-t-il alors qu'une goutte de sueur perlait au coin de sa lèvre supérieure.

Ses bras étaient devenus rigides à force de se retenir de plonger entièrement en elle. Sam savait qu'il testait là sa capacité à se contrôler mais, quelque part, elle eut envie de le provoquer.

Elle ondula des hanches.

— Je saisis ton idée de base, susurra-t-elle, mais j'ai besoin d'être un peu mieux… convaincue.

Hank éclata de rire et ses yeux azur se mirent à briller. Il se laissa glisser un peu plus en elle, mais toujours pas assez au goût de Sam.

— Et là, suis-je suffisamment convaincant ? demanda-t-il.

Elle acquiesça d'un signe de tête.

— Acceptes-tu de rentrer à Orange Beach avec moi ?

Elle fit oui du menton, et il s'enfonça encore un peu plus en elle, avant de se figer.

— Je veux t'entendre dire *oui*.

Les yeux de Sam s'embuèrent et elle eut un petit rire au souvenir du premier oui qu'elle avait crié entre ses bras.

— Oui.

— Veux-tu m'épouser ?

Le corps de Sam s'embrasa tout entier sous l'effet d'une onde prodigieuse, mêlant volupté et bonheur absolu. Elle se mordit la lèvre avant de répondre :

— Oui !

— Dieu merci ! marmonna Hank en plongeant avidement au plus profond d'elle, je ne crois pas que j'aurais pu tenir plus longtemps !

Mais soudain, il arrêta son mouvement de va-et-vient, ce qui arracha un gémissement à Samantha qui l'exhorta à continuer en pressant ses hanches contre les siennes. Il la regarda d'un air tout à la fois tendre et pressant :

— Est-ce que je t'ai manqué ?

A ces mots, Sam laissa échapper un long et extatique soupir d'approbation :

— Oh, mon Dieu, oui !

Épilogue

— Je suis ravie de confirmer votre réservation, madame Allen. Quand comptez-vous arriver ?

Hank regarda Samantha qui avait le téléphone calé entre l'oreille et l'épaule. Il ne put s'empêcher de sourire béatement. Comme il l'avait pressenti, sa vie — professionnelle et privée — était extraordinaire depuis que Sam était devenue sa femme.

Si seulement ils ne s'étaient pas dissimulé la flamme qui brûlait en eux pendant toutes ces années, ils auraient pu gagner beaucoup de temps ! Mais ce n'était pas bien grave, l'essentiel à présent était de penser à l'avenir qui s'annonçait. Cette dernière année avait été riche en changements de toutes sortes. Ils s'étaient mariés ici, dans le jardin de Clearwater, voilà bientôt un an. Puis il y avait eu la plus grande — et la plus belle — surprise de l'année qui venait de s'écouler : la naissance de leur fille, Belle Elizabeth.

Son regard se dirigea alors vers la balancelle sous le porche où Tina berçait le bébé. Rien qu'à le regarder, la poitrine de Hank se serra. Avec ses grands yeux tout ronds — azur comme les siens — et ses jolies boucles blond vénitien — comme celles de sa mère—, sa fille était absolument adorable. Même s'il était conscient que tous les papas du monde ressentaient la même chose, il restait persuadé que son bébé était le plus beau de la planète.

Il soupira de satisfaction alors qu'il sentait les bras de sa femme lui entourer la taille. Sam suivit son regard et sourit :

— Tu peux arrêter de monter la garde sur ta petite merveille, tu sais ! Tina est une excellente baby-sitter.

— Je ne monte pas la garde, protesta-t-il.

En tout cas, pas cette fois. En effet, il n'était pas rare que Sam le surprenne penché au-dessus du berceau de Belle au beau milieu de la nuit, juste pour s'assurer que sa petite fille respirait.

— Je ne fais qu'admirer, ce qui n'est pas la même chose, précisa-t-il avant de soupirer. Enfin, cela est peut-être trop subtil pour que tu comprennes.

Sam pouffa de rire.

— Dis-moi, en parlant de subtilité, Belle est entre de bonnes mains, tous nos hôtes sont sortis et je me rappelle une certaine promesse que tu m'as faite, il y a quelque temps déjà au sujet d'orgasmes à répétition, chuchota-t-elle.

Elle se pencha vers son cou pour tracer une ligne imaginaire avec la pointe de sa langue, avant de lui murmurer au creux de l'oreille :

— Eh bien, il serait temps de mettre ta promesse à exécution. Je veux un orgasme, ici, tout de suite. Dis-moi oui !

Ses yeux vert pâle étincelèrent d'une lueur coquine.

Hank ne put s'empêcher de rire.

Il se retourna vers elle et planta ses lèvres sur les siennes. Et, devant une telle douceur, une telle sensualité, il ne pouvait que s'incliner et tenir sa promesse... à partir de maintenant et pour toujours !

Le nouveau visage
de la collection Or

◆

AMOURS D'AUJOURD'HUI

Afin de mieux exprimer sa modernité et de vous séduire encore davantage, votre collection Or a changé de couverture et de nom depuis le 1er mars 1995.

Rassurez-vous, les romans, eux, ne changent pas, et vous pourrez retrouver dans la collection **Amours d'Aujourd'hui** tous vos auteurs préférés.

Comme chaque mois, en effet, vous y attendent des héros d'aujourd'hui, aux prises avec des passions fortes et des situations difficiles...

COLLECTION
AMOURS D'AUJOURD'HUI :
Quand l'amour guérit des blessures de la vie...

Chère lectrice,

Vous nous êtes fidèle depuis longtemps?
Vous venez de faire notre connaissance?

C'est pour votre plaisir que nous avons
imaginé un rendez-vous chaque mois
avec vos auteurs préférés, vos
AUTEURS VEDETTE dans les
collections Azur et Horizon.

Les AUTEURS VEDETTE vous
donneront rendez-vous pour de
nouveaux livres vedette.

Pour les reconnaître, cherchez
l'étoile... Elle vous guidera!

Éditions Harlequin

HARLEQUIN

LE FORUM DES LECTEURS ET LECTRICES

CHERS(ES) LECTEURS ET LECTRICES,

VOUS NOUS ETES FIDÈLES DEPUIS LONGTEMPS?

VOUS VENEZ DE FAIRE NOTRE CONNAISSANCE?

SI VOUS AVEZ DES COMMENTAIRES, DES CRITIQUES À FORMULER, DES SUGGESTIONS À OFFRIR, N'HÉSITEZ PAS… ÉCRIVEZ-NOUS À:

>   LES ENTERPRISES HARLEQUIN LTÉE.
>   498 RUE ODILE
>   FABREVILLE, LAVAL; QUÉBEC.
>   H7R 5X1

C'EST AVEC VOS PRÉCIEUX COMMENTAIRES QUE NOUS ALLONS POUVOIR MIEUX VOUS SERVIR.

DE PLUS, SI VOUS DÉSIREZ RECEVOIR UNE OU PLUSIEURS DE VOS SÉRIES HARLEQUIN PRÉFÉRÉE(S) À VOTRE DOMICILE, NE TARDEZ PAS À CONTACTER LE SERVICE D'ABONNEMENT; EN APPELANT AU (514) 875-4444 (RÉGION DE MONTRÉAL) OU 1-800-667-4444 (EXTÉRIEUR DE MONTRÉAL) OU TÉLÉCOPIEUR (514) 523-4444 OU COURRIER ELECTRONIQUE: AQCOURRIER@ABONNEMENT.QC.CA OU EN ÉCRIVANT À:

>   ABONNEMENT QUÉBEC
>   525 RUE LOUIS-PASTEUR
>   BOUCHERVILLE, QUÉBEC
>   J4B 8E7

MERCI, À L'AVANCE, DE VOTRE COOPÉRATION.

BONNE LECTURE.

HARLEQUIN.

VOTRE PASSEPORT POUR LE MONDE DE L'AMOUR.

COLLECTION
HORIZON

Des histoires d'amour romantiques qui vous mènent au bout du monde!

Découvrez la passion et les vives émotions qu'apportent à la Collection Horizon des auteurs de renommée internationale!

Captivantes, voire irrésistibles, ces histoires d'amour vous iront assurément droit au coeur.

Surveillez nos trois nouveaux titres chaque mois!

GEN-H-R

La **COLLECTION AZUR**
Offre une lecture rapide et

- ☑ *stimulante*
- ☑ *poignante*
- ☑ *exotique*
- ☑ *contemporaine*
- ☑ *romantique*
- ☑ *passionnée*
- ☑ *sensationnelle!*

*COLLECTION AZUR...des histoires
d'amour traditionnelles qui vous
mènent au bout monde!
Cinq nouveaux titres chaque mois.*

GEN-RP-R

HARLEQUIN

Lisez Rouge Passion pour rencontrer L'HOMME DU MOIS!

Chaque mois, vous rencontrerez un homme **très sexy** dans la série Rouge Passion.

On peut distinguer les livres L'HOMME DU MOIS parce qu'il y a un très bel homme sur la couverture! Et dedans, vous trouverez des histoires écrites selon le point de vue de l'homme et de la femme.

Les livres L'HOMME DU MOIS sont écrits par les plus célèbres auteurs de Harlequin!

Laissez-vous tenter avec L'HOMME DU MOIS par une histoire d'amour sensuelle et provocante. Une histoire chaque mois disponible en août là où les romans Harlequin sont en vente!

♉ ♊ ♋ ♌ ♎

**69 L'ASTROLOGIE EN DIRECT
TOUT AU LONG
DE L'ANNÉE.** ♒

(France métropolitaine uniquement)
Par téléphone 08.92.68.41.01
0,34 € la minute (Serveur JET MULTIMÉDIA).

Composé et édité par les
éditions Harlequin
Achevé d'imprimer en octobre 2005

BUSSIÈRE

GROUPE CPI

à Saint-Amand-Montrond (Cher)
Dépôt légal : novembre 2005
N° d'imprimeur : 52249 — N° d'éditeur : 11675

Imprimé en France